東京大学
教養学部 編

知のフィールドガイド

異なる声に耳を澄ませる

白水社

知のフィールドガイド

異なる声に耳を澄ませる

知のフィールドガイド

異なる声に耳を澄ませる

目次

Ⅰ

現代の未知に対峙する

Ⅱ

摩擦を読み解く

III 常識を穿つ

創造の原動力

東京大学教養学部社会連携委員会委員長　新井宗仁

価値観が多様化し、流動性を増している現代においては、直面するさまざまな課題への対応策を見出すことは難しい。複雑化した問題の解決には、ひとつの立場からのアプローチだけでなく、多角的な視点からの対応が必要となる。それゆえ、幅広い知識をもつことが大切だが、頼みの綱となるはずの学問も複雑化しており、なにを知るべきかを見定めるのも困難である。また、たとえ広範な知識を有していたとしても、それらを有機的に結び付けて、課題解決に活かせる「知」として構造化し、使いこなしていくことは容易ではない。

このような状況下で必要となるのが「教養」であろう。現代に求められる教養とは、見通し良く整理された知識と、それらを活用できる能力のことである。あるいは、社会科学、人文科学、自然科学といった学問を体系化して学び、問題に応じてそれらを柔軟に組み合わせることのできる能力である。こうした能力を身につけることができれば、人工知能にも解決できないような困難な課題に直面しても、それを解決するための新たなアイデアを生み出すことができるだろう。つまり教養とは、創造を生み出す原動力ともいえる。

こうした意味での教養を身につけるためには、さまざまな学問分野を分け隔てなく学ぼうとする姿勢が大切である。だが、社会科学や人文科学といったいわゆる文系的な学問と、自然科学などの理系的な学問のあいだには、両者を隔てる高い壁があると思われがちだ。しかし、両方の学問を習得することはそんなに難しくはない。好き嫌いをせず、先入観を捨てて素直になり、それぞれの分野の中に取り込まれてみればよい。はじめはその分野特有の「言葉」がわからずに戸惑うかもしれないが、その分野の考え方にどっぷりとつかっているうちに、それらの言葉の意味に気づくときが来る。するとそこには、新たな発見や、初めて知る喜びが満ち溢れているだろう。食わず嫌いだったとうれしくなるだろう。教養を学ぶことは、人生の宝探しでもあるのだ。

そしてしばらくしたら冷静になって、他の分野との相違点と類似点を考えてみるとよい。各分野それぞれに独特な点を捉えることは、その分野の本質的な理解に必要不可欠である。それと同時に、複数の分野における共通点を探し出すことは、知識を繋ぎ合わせて体系化し、多角的な視点から物事を捉えるうえでの基礎となる。

素直になって取り込まれ、冷静になって脱却し、全体を俯瞰する。これを繰り返していく。壁の両側に広がる異分野の地平を、壁よりもさらに高い場所から見渡せば、両者を隔てる壁はもはやない。分野の連結・統合や、総合的な知の獲得も可能だろう。論理的思考力という武器さえ身につければ、どんな分野でも、縦横無尽に駆け巡ることができるのである。そしてこのような姿勢は、多様性を規範とする現代社会をより豊かにするうえでも重要であろう。

さらに、時代の流れとともに、新たな社会問題の出現や学問の発展があり、それによって必要となる知も変わっていく。そのため、最先端の教養を常に追い求めていく姿勢も大切である。

本書『知のフィールドガイド』は、このような論理的思考力と先端的教養を身につけるうえでのトレーニングとして最適である。本書には、東京大学の教員による「最先端研究に基づく教養教育」の内容がわかりやすく書かれている。教養の入門書でありながら、多様な分野における先端的教養までもが散りばめられているのが特徴だ。また、直面した課題に対して多角的な視点で取り組み、分野の融合や新たなアイデアの創出によって問題を解決していく事例を、数多く見つけることができるであろう。

『知のフィールドガイド　異なる声に耳を澄ませる』と『知のフィールドガイド　生命の根源を見つめる』はそれぞれ文系と理系の内容であり、既刊の『知のフィールドガイド　分断された時代を生きる』(文系)と『知のフィールドガイド　科学の最前線を歩く』(理系)の続編にあたる。文系と理系に分かれているのは便宜上の理由だけであり、先入観を捨てて、文理を分けずに読むことをお勧めしたい。

また、将来に悩む若者は、これらの本を手に取り、自分には興味がないと思う分野の内容こそを、ぜひ読んでみてほしい。そして自分が一番気に入る分野を探してみるとよいだろう。思いがけない出会いが人生の選択を大きく変え、未来が一瞬にして広がっていくような体験ができるかもしれない。

I

現代の未知に対峙する

原発の最終廃棄物と日本社会

定松淳

まず確認しておきたいのだが、「原発の最終廃棄物」というのは、福島原発事故のあと廃炉によって生じた廃棄物のことではない。原子力発電所で電気を発電したのちに発生する「使用済み核燃料」があり、その「使用済み核燃料」からリサイクルできるものを取り除いた残りが、本稿でいう「原発の最終廃棄物」である。正確には「高レベル放射性廃棄物」という。これは一九七〇年前後から日本が原発を使用してきた結果、蓄積されてきていて、どこかで処分する必要がある。原発に賛成であれ反対であれ、これは処分しなければならないという点で、いわゆる推進派と反対派という立場を越えた議論ができる可能性がある問題だ。けれども、なかなかそうはいっていない。「そうはいっていない」ところに、日本社会（あるいは現代社会）のあり方や難しさが現れているのではないか、というのが本稿のメインテーマだ。以下では、まず高レベル放射性廃棄物の処分の仕方を概観し、そのうえでそのような処分の仕方が決まるまでの社会的なプロセスを見ていこう。

高レベル放射性廃棄物とは

原子力発電所では、燃料のなかのウランを核分裂させてその熱で水を沸騰させ、その水蒸気でタービンを回して発電する。このウランには、「核分裂するウラン」と「核分裂しないウラン」が含まれている。燃料を使用したあと、その容器のなかには、核分裂で生成した多種多様な放射性物質と、核分裂しないウランが残っている。核分裂しないウランの一部は、原子炉のなかでプルトニウムという物質に変わる。このプルトニウムは核分裂するので、核分裂するウラン同様、原子力発電に使うことができる。そこで日本の政策では、使用済み核燃料からウランとプルトニウムを取り出し、再利用していくことになっている。このプロセスを「再処理」と呼び、再処理を経たその残りが「高レベル放射性廃棄物」である。

ウランとプルトニウムを抽出しているので、その残りは核分裂するウランが発電の際に分裂してできた「核分裂生成物」である。ウランは核分裂して、より小さなふたつの原子になるが、その分裂の仕方はランダムなので、セシウムやヨウ素などさまざまな元素が生じる。この結果、高レベル放射性廃棄物には四十種類以上の元素が含まれる。また同じ元素でも多くの同位体が生じるので、同位体まで数えると数百種類にのぼるという。そのなかには半減期が一秒以下の、すぐになくなってしまうようなものも含まれているが、半減期が百万年を越すようなものも含まれている。したがって全体として強い放射能を持っており、それが長く持続する。十万年ほど経過するともともとの天然ウラン鉱石と同じ程度の弱い放射能になってくる。そこで一万年から十万年程度のあいだ安全性を確保することが、原子力業界としての目標とされている。

千年前が紫式部のいた平安時代であり、一万年前は縄文時代だ。十万年ものあいだの安全を確保するために、この高レベル放射性廃棄物をどのように処分すればいいのだろうか。世界でもいろいろな方法が検討されてきたのだが、現在では地下深く埋めてしまう「地層処分」が標準的な考え方となっている。そして、日本では地層処分を進めていくことが、既に法律で決まっている。

地層処分の方法

「埋めてしまうなんて、かえって危ないのでは?」と思う人もいるだろう。しかしまず、原子力業界の人々がどう考えているかをもう少し見ていこう。その基本的な考え方は「十万年の安全を確保するためには、人の手を離れても安全性が保たれるようにする必要がある」というものだ。十万年後に人類が生存しているかどうかも必ずしも保証はない。生存していたとしても、言語が変わって「危険」といった注意書きが理解できなくなっている可能性もある。自然レベルで考えても、十万年という時間スケールは、東日本大震災のような千年に一度の大地震が百回来るという時間の幅だ。だから、人間の力だけで安全性を確保しようとするのではなく、「人間の手を離れても安全」な状態にする必要があるというのだ。

そのために、地下三〇〇メートル以深の安定した地層に埋設してしまう。「安定した地層」とは、活断層などがない地層ということだ。坑道も基本的に埋め戻して、そこに人(や人以外)がたどりつけないようにしてしまう。もちろん埋めるときは、ただ埋めるだけでなく、放射性物質が環境中に出てこないように工夫をする(これを「人工バリア」と呼ぶ)。第一は、廃棄物をガラスと混ぜて固めるということだ。使用済み核燃料は再処理の際に溶かされて、ドロドロの廃液の状態だ。これをガラス原料と混ぜて、直径四十三センチメートル、高さ一・三四メートル、厚さ五センチのステンレス製の容器(キャニスター)に入れて固める(これを「ガラス固化体」という)。重さは五〇〇キロ。私たちの日常生活でも、色のついたガラスが割れても色の着いた液が出てくることはない。同様に、放射性廃棄物が固まったガラスから出てこないようにしようという目論見だ。第二は、このガラス固化体をキャニスターごと巨大な鋼鉄製の容器(オーバーパック)にしまうということだ。厚さ二〇センチで直径八十二センチ、高さ一・七三メートル。重さは五トンを超えるという。厚さ二〇センチの鋼鉄は、日常生活ではなかなかお目にかかれるものではない。第三は、このキャニスターを埋める際、周囲七〇センチ程度を粘土(ベントナイト)で固めるということだ。放射性廃棄物の処理にとって、一番避けたいのは水が浸入し、放射性物質が環境中に運び出されてしまうことだ。水を通しにくい粘土で周辺を固めることで、キャニスターに水が到達するのを防ぐこと、あるいは遅らせ、少なくすることが目指されているわけである。

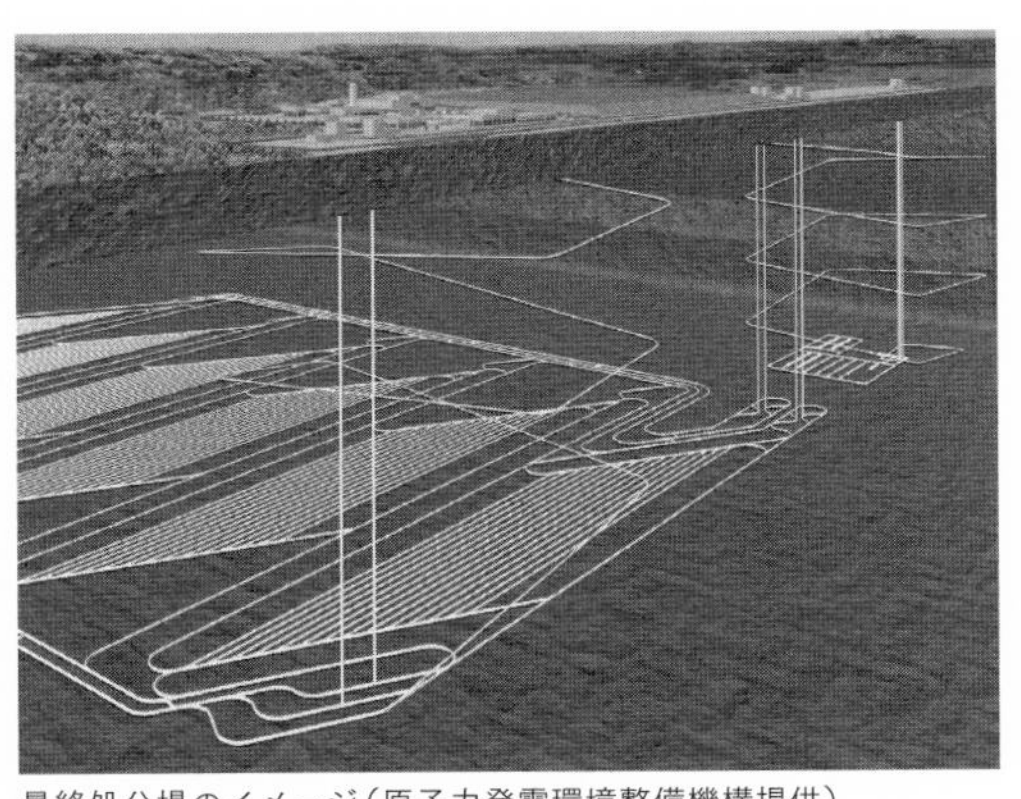
最終処分場のイメージ(原子力発電環境整備機構提供)

そしてこれらを地下に埋めていく。三〇〇~一〇〇〇メートルの地下であれば、地下水の流れ自体が遅くなるので、仮に放射性物質が人工バリアを突破して出てきたとしても、すぐに地上に到達することは難しい。つまりこの地層が「天然バリア」である。間隔をあけてひとつの処分場に四万本以上のオーバーパックを埋める計画になっているので、もし全て水平方向に埋めるとなると六―十平方キロメートル程度の広さになる。一日に埋められるのは数本なので、年間で埋められるのは千本程度。なので四万本を三十―四十年かけて埋設し、その後坑道を埋めるのにも十年くらいはかかるという。半世紀がかりの巨大事業だ。坑道を掘ったのち、オーバーパックごと運び込み、周りを粘土で固める作業は機械を使って無人で作業することが予定されている。費用は約三・八兆円と見積もられているが、当然、実際に始めたら費用が増大してしまう可能性はある。もっともこの費用は既に、私たちの日々の電気料金のなかから積み立てられ始めている。

一般の人々を説得できるか

ここまで読んで「なかなか真面目に考えているんだな、結構安心した」と思う人もいるだろうし、「全然説得されない。絵空事じゃないの？」と思う人もいるだろう。本稿では、どちらの感想もアリだと考えている。ただいずれにせよ、原子力業界が真面目にこの問題に取り組んでいることは認めるべきではあるだろう。そのうえで、そうだとしても、なにより当然ながら「地震国の日本で、そんな場所があるのか？」というのが最も多く生じる疑問であるに違いない。専門家たちとしてはシミュレーションを行い、「万が一（地層処分の場所は慎重に決定したにもかかわらず）、断層が処分場を直撃してしまう最悪のケースでも、人工バリアによって放射性物質が地上に出てくるのを遅らせ、地上に放射性物質が到達する頃にはさほど影響がない結果になる」と考えているのだという。ただそれでもやはり、どんなにシミュレーションを重ねても、一般の人々の不安を完全に払拭することは相当難しいだろう。専門家は定量的な判断を積み重ねて、その延長線上に「大丈夫だろう」と考えているわけだが、一般の人々は問題を基本的に質的に捉えようとするし、万年単位の技術を実証できないことも事実だ。特に自分たちの地域が当事者となる場合には、「万が一」を考えずにはおられない。少なくとも現状では国民の多くがこの問題を知り、地層処分に対して概ね合意ができているとは思えない。しかし、日本では既に地層処分を行うことが法律で決まっている。一体いつ、どのようにして日本は高レベル放射性廃棄物を地層処分すると法律で決めたのだろうか？　そこで続いて社会的なプロセスを見ていこう。

社会的にどのような議論がされてきたのか

法律が制定されたのは二〇〇〇年のことだ。一般に、原子力発電の利用は日本政府の「国策」として進められてきたので、その進め方の強引さに対しては批判が根強い。しかし、この最終廃棄物の問題に対してはもともとかなり民主的な合意形成を目指していたという評価がある。法律制定の前、一九九五年九月に原子力委員会によって設置された「高レベル放射性廃棄物処分懇談会」（以下、「処分懇」）がそれだ。この懇談会は十四回の会合を開いたほか、特別会合二種類を六回ずつ開いている（このうち、合同会合は六回）。全国六か所で意見交換会も開催した。このような動きを受けて、一九九八年五月に報告書『高レベル放射性廃棄物処分に向けての基本的考え方について』をとりまとめた。

そのなかでは例えば、「専門家の間での技術的な議論だけで解決できる問題ではない」、「国民各層の間で広範に議論が行われ、国民の間に合意形成が求められるべき重大な問題である」、あるいは「処分事業との共生、立地地域と電力大消費地などその他地域との共生と連帯をいかに図っていくかが今後の取り組みにあたって重要である」などと述べられている。この報告書では、諸外国と比べて日本は準備が十年から二十年遅れていて、高レベル放射性廃棄物処分の事業主体もなく、資金の確保もなされていないことを指摘し、政府が責任を持って法律を制定することを求めた。

これを受けて二〇〇〇年に法律が制定された。この法律によって、事業主体として「原子力発電環境整備機構」が設立され、また私たちの日々の電気料金からこの事業のための費用が積み立てられるようになった。また、処分地の選定プロセスとして公募制を採用し、まず過去の地震等についての「文献調査」を行ったうえで「概要調査」を行い、その後「精密調査」を行うという枠組みが設定された（なお、現在では公募だけでなく該当自治体への「申し入れ」も可能に変更されている）。

一方で、処分懇を開催しただけでは、国民的合意が形成されたとは言えないはずだ。実際に「法律には、処分懇の精神が活かされていない」といった意見もある。そして実際に、候補地選びは進んでいないのが実情だ。それではなぜ二〇〇〇年に立法化がなされたのだろうか？

なぜ立法化を急いだのか

その理由の一つとして、二〇〇〇年五月二十五日付の朝日新聞朝刊は次のように報道している。

法案は五月九日から四日連続の審議を経て十六日、衆院本会議で可決された。野党によると

「連休直前になって、自民党からどうしても通してほしいと言ってきた」という。自民が法案成立を急ぐ背景には、廃棄物の中間貯蔵施設がある青森県に対し、「二〇〇〇年中に最終処分の枠組みを決める」と約束した経緯などがあるとみられている。

これは一体何を意味するのだろうか。冒頭で説明した、使用済み核燃料から高レベル放射性廃棄物を取り出すための「再処理」のための工場は、国内では青森県に置かれている。工場自体は未完成なのだが、そこには全国の原発から使用済み核燃料が集まってきている。この再処理工場は、全国の原発にとって小さくない意味を持っている。というのも、各原発のサイト内には使用済み核燃料を保管するプールがあるのだが、それらはかなり一杯になってきている。青森の再処理工場のような「使用済み核燃料を運び出す先」がなくなり、かつプールにこれ以上使用済み核燃料を入れられないとなると、原発は運転できなくなってしまうからだ。一方、青森県行政は「再処理工場はあくまで中間的な施設であって、青森県は最終処分地ではない」ということを当初から強調してきた。これらの状況から再処理工場を持つ青森県行政が一定の交渉力を持つようになってきた。そこで、なし崩し的に〝使用済み核燃料置き場〟にされてしまわないために「高レベル放射性廃棄物の処分の枠組を法律という明確な形で定めること」を日本政府に求めたわけである。

社会的に議論していくことの難しさ

もちろん、だから青森県が悪いという話ではない。また、最終廃棄物の処分方法が曖昧なまま原発を使い続けるよりも、法律があった方が安心できるという面もある。法律を作った側の言い分を考えるならば、「進められるときに進めておかなければいつまで経っても何も進まない」という気持ちもあったに違いない。一方で、法律によって枠組みが作られると、あとはその枠組みのなかで「どこで処分するか」といういわば各論が課題になる。であるので、「この問題にどう対処するのがいいのか」「地層処分で本当にいいのか」という総論を議論して考え、国民全体の関心を高めるという形にはなりにくい。

そして、「どこで処分するか」という各論になると、想定されるのは常に人口の少ない地方の過疎地だ。地方の側では「原発の電気を使っているのは主に都会の人間であるのに、どうして自分たちがリスクを背負わなければならないのか」という気持ちが生じる。社会学ではこのような状況を、「受益圏と受苦圏の分離」と呼んできた。利益を受ける地域と、リスクを受け入れる地域が分離していることが問題の本質にあるという見方だ。原発に限らず、ゴミ問題や迷惑施設をめぐる紛争では常に生じる図式である。であるから、過去のゴミ問題での教訓は「受益圏と受苦圏をできるだけ重なるようにする」ということだ。例えばかつて東京都ではどの区にゴミ処理施設を建設するかでもめた結果、各区にゴミ処理施設を作ることになった。高レベル放射性廃棄物についても、各都道府県の過去の電気使用量に応じて廃棄物処理量を割り振り、そこから議論を始めてはどうか、といった指摘がある（『朝日新聞』二〇一四年一月五日朝刊八面「核のごみ　見えない、でも見つめる」）。

ただ、既にある枠組みを変更することは、官僚や原子力発電環境機構にとっては難しい相談だ。彼らは組織人であるから、与えられた目的に従って動くのが基本であり、設定された目的を変更するのは難しい。もし現行の枠組みの変更ができるとすれば、国民から選ばれた政治家の仕事ということになるだろう。しかし一度できた枠組みを作り直すというのは、相当な労力が必要だ。そして国会議員にとっては、この問題は〝票になる〟仕事ではない。つまり政治家のこの問題に対する意欲の低さは、国民の関心の低さの反映でもある。

ひとりひとりが知ることの意味

もちろん現在の枠組みのもとでこの問題が決着する可能性も十分ある。またとりあえず（再処理工場ではない）中間貯蔵施設を建設することで、「原発利用も止めず、地層処分も強行しない」という選択肢もないわけではない。それでも本稿を通じて、この問題がなかなか進んでいかないさまを、垣間見ることができたのではないかと思う。この問題の責任は、第一義的には処分方法や処分地を明確にしないまま原発を推進してきた政府や電力会社、あるいは原子力の専門家にある。しかし、この資本主義社会において廃棄物などの後始末をよく考えずに技術を使い始めるのは常態でもある。原発利用がスタートした戦後すぐの時代においてはなおさらだ。であるとすれば、原子力業界にお任せで電気を用いた生活を享受してきた国民の大多数にも、責任の一端がないとは言えないだろう。

国民のひとりひとりがこのような問題を知ったからといって、急に何かが解決するわけではない。しかし、より多くのひとりひとりがこのような問題を知ることなしに、問題がよりよい方に動いていくことはないのではないだろうか。そしてそれ以上に、現代社会を生きるあなた自身にとって、自分の生きる社会の抱える問題をより深く知ることは価値のあることである。決して楽しい話ではないけれども、この問題を知ったあなたは、少し大人になったはずだ。そのような思いで本稿は書かれた。

プロフィール

定松淳（さだまつ・あつし）

一九七五年生まれ。東京大学大学院人文社会系研究科博士課程単位取得退学、博士（社会学）。東京大学教養学部附属教養教育高度化機構特任准教授（科学技術インタープリター養成部門）。専門は社会学、科学技術社会論。『知のフィールドガイド　分断された時代を生きる』では「戦後経済史のなかの原子力発電」を執筆。

読書案内

▼吉岡斉、寿楽浩太、宮台真司、杉田敦『原発　決めるのは誰か』岩波書店（岩波ブックレット）、二〇一五年

▽気鋭の論者たちによるシンポジウムをまとめたブックレット。参考になる論点が多く挙げられている。

▼飯尾潤『日本の統治構造』中央公論新社（中公新書）、二〇〇七年

▽日本の官僚と政治家のあり方を、シャープに描き出した名著。「教科書で学ぶ政治」の先にある「リアルな政治」を、アカデミックに学ぶことができる。

▼梶雅範編『科学者ってなんだ？』丸善出版、二〇〇七年

▽理系の大学一年生向けに編まれた「科学の入門書」だが、文系学生にとってもとっつきやすい「理系について知れる本」になっている。研究現場のあり方や、科学と社会とのつながりを概観できる。

鏡としての人工知能

江間有沙

中国、上海にて

二〇一九年八月末、私は上海で開催された人工知能の展示会を訪れていた。人工知能技術で最先端を走る中国の技術展とあって、会場に国内外の研究者や会社員が多いのはもちろん、夏休みだからか親子連れの姿も見られるなど大賑わいであった。医療や交通など様々な展示がある中、人だかりができているブースがあった。なんだろうと思い近づいてみると、カメラが通りゆく人々の姿を撮影し、年齢や性別などを次々と表示させる顔認証システムのデモンストレーションが行われていた。

興味を持ってカメラの前を通り過ぎてみると、大画面の右側にリアルタイムで私の顔写真と推測データが表示された。三十一歳、女性、眼鏡なし。笑顔なのかどうかといった顔の表情の情報もあった。年齢に誤差があるとしても、一瞬でここまで認識できるのかと感心し、一度画面から外れ、もう一度足早に通り過ぎてみた。そして、再び私のデータが表示される。十八歳、女性、眼鏡なし。先ほどと違う。いくらなんでもこれでは「サバを読みすぎ」ではないかと思い、その後はカメラの前を複数回往復してみることに。顔を半分手持ちのカメラで隠してみたり、斜めに通り過ぎたりするなど少し怪しい動きをしてみたが、カメラは優秀でどのような状態でも私の姿をきちんと検知する。そして、そのすべてで「女性」「眼鏡なし」という判断は変わることはなかった。だが一方で、年齢が下は十六歳、上は三十六歳まで実に二十歳の幅があった。

　その夜、共同研究者と一緒に上海の大通りを歩いていると、今度は横断歩道の信号機の下にカメラ画像が表示されているのを見つけた。近寄ってみると、表示されているのは図1のように両側から撮影された横断歩道の写真と、女性の顔写真だった。この女性は、赤信号に変わっても道を渡っているところを検知され、顔が表示されていた。

図1　信号機の下に赤信号を無視した人の顔写真と横断歩道のカメラ画像が映し出されている。信号機の左側に立っているのが筆者。

　だが、しばらく信号機の横に立って道路を横断する人々を観察してみても、誰も信号機を気にしている様子はない。顔写真が表示されたらどうなるのか、と上海在住の人に聞いてみると、「以前、ここを通ったときは信号機の側に人が立っていて、顔が表示された人に身分証を出させていた。でも「今は持っていない」といったらお咎めなしだったね」とのことだった。つまりこれは「人と機械の協同システム」として使われているらしい。

　上海でこの信号機が導入されたのはつい最近らしく、まだ運用の体制が整っていないのかもしれないが、ここ数年、類似のシステムが中国各地で導入されているという。場所によっては違反を検出された人には後日連絡が来て罰金が科せられたり、顔写真が一定期間、街角に表示されたりするシステムも存在するらしい。

人々の行動を制御するには道徳や規範、法、経済（市場）、技術など様々なアプローチがある。「赤信号では横断歩道を渡ってはいけない」と私たちは学校などで社会的規範や道徳として教え込まれる。中国では、このような規範に加えて、技術で違反者を検知、特定し、場合によっては罰金を科すといった経済的な点からも人々の行動を制御する仕組みが構築され始めているのだ。

しかし、そこで使われる技術、すなわち顔認証の精度はどのくらい信頼できるのだろうか。昼間の技術展で私の年齢が十六から三十六歳までという広い幅で検知されたことを思い出し（私の動きがかなり不自然であったことを差し引いても）、なんとなく釈然としない思いを抱えながら、中国を後にしたのであった。

人工知能をめぐる技術的課題

上記のような顔認証システムは、日本でも空港や店舗などで導入されつつある。一方で顔認証技術をはじめとする人工知能技術を用いたシステムの実用化には、いくつかの懸念も指摘されている。技術的な課題を見ていくにあたって、まずは現在の人工知能技術の仕組みを概説しよう。

近年、画像認識技術の精度が上がったのは、人工知能技術の中でも深層学習（ディープラーニング）と呼ばれる新たな技術が進展したことが大きい。深層学習はパターン認識、つまりデータの塊を分類、判別する作業が得意だ。その学習のために大量のデータ（ビッグデータ）を必要とする。大量の画像から学習して、例えば「猫」の特徴を抽出することで、初めて見る画像であってもそれが「猫」か「猫ではないか」を判別できるようになる。

今までの技術では「猫」とは「三角形の耳がある」や「ヒゲがある」などの特徴を人間が分類して記述していた。深層学習では、学習データから自動的に機械が特徴を抽出して分類するため、人間が言語化できない「直観」や「暗黙知」も機械が自動的に習得できるのでは、と期待されている。しかし、機械は学習データの関連付けを行っているだけなので、猫とは何かという「意味」を理解しているわけではないことに注意が必要である。

また機械自らが判別ルールを作るため、人間には学習の方向性や内容がコントロールできないという課題がある。人間がルールを作るのであれば、「三角形の耳があるから猫と判断した」となど判別理由を説明できる。しかし深層学習では、何故ある画像を猫と判断するのかがモデルが複雑すぎて説明できない。これがいわゆる「ブラックボックス問題」だ。機械の判断によって問題が起きたとき、ブラックボックスであると理由が説明できず、機械をどのように改良してよいのかもわからない。

今後、医療における診断支援、車の運転支援、進学や就職など人生選択のアドバイスなど、様々な場面で意思決定支援技術が使われるようになると予想される。支援してくれるのが人間であれば、無理やりにでもその理由を説明してくれるだろうが、機械の判断理由は前述のように不透明になる可能性がある。それでも、何か問題が起きた場合には、最終的な責任は意思決定をした人間が取らなければならない。もしあなたが、機械が下した判断の責任を取る立場に置かれたとき、その機械を使いたいと思うだろうか。だからこそ、何か問題が起きたときの責任の所在はどこにあるのか、保険などで対応ができるのか、など技術を取り巻く制度的な仕組みの構築も必要となってくるのである。

人工知能をめぐる社会的課題

深層学習をめぐるもう一つの課題として、学習データの偏りも問題となる。猫の一品種「エジプシャンマウ」の学習データが少なかったために、見かけが似ている別品種の「オシキャット」だと誤認識するくらいだったらご愛敬で済むかもしれない。しかし、人間を誤認識したとなったら問題となるだろう。特に、認識したうえで、何かの意思決定（雇用、逮捕、お金を貸すなど）を行う場合は、その社会的な影響は大きい。例えば、アメリカで開発されるシステムに使う学習データは、どうしてもアングロサクソン系の男女の画像が多くなる。そのため、人種という観点からすると、アフリカ系、しかも女性の学習データが特に少なく、誤認識が多くなることが指摘されている。無実の人が、誤って犯罪者と特定され逮捕されてはたまらない。しかし、解決のために不足しているデータを増やせば良いという単純な話でもない。そのためのデータはどこから取ってくるのか、プライバシーや個人情報の問題が立ちはだかる。

さらに近年では、データをもとにした「特定」だけではなく、「予測」についても問題視されている。ネットショップで買い物をすると、「Aという商品を購入する人はBという商品も購入する可能性が高い」など、ビッグデータをもとにした予測が裏で行われている。それをもとに、「この商品を買った人へのおすすめ」が画面に表示される。人々のデータをもとに行動や選好を予測することを「プロファイリング」という。

極端な事例としては、顔画像データをプロファイリングに使うことも、データがあればできてしまう。二〇一六年に中国の研究者が、犯罪者と非犯罪者の身分証明書写真を学習させることで、「犯罪を起こしそうな人の顔」を高確率で識別できたと公表した。イタリアの犯罪学者ロンブローゾは、一八七〇年代に犯罪者には生まれつきの特徴があるとする「生来性犯罪者説」を提唱したが、現在彼の理論の多くは科学的に否定されている。だが万が一、「予防」という観点で、顔データのみを参照して、犯罪者予備軍として取り締まりが起きてしまえば、それはSFで描かれるディストピアのような恐ろしい社会である。また顔を意思決定の判断基準に用いることは、人種差別や年齢差別をもたらすという観点からも社会的に問題視されている。このような観点からアメリカでは就職活動をする際に、日本のように顔写真や性別を書類に要求されることはない。

一方、プロファイリングされる側からすると、意思決定の結果のみが知らされる場合や、誤りがあった場合に責任を取る人や組織が明確な場合には、人による判断か機械による判断かは、それほどの違いはないように思えるかもしれない。しかし、機械によるプロファイリングの恐ろしいところは、組織を超えて使われて固定化する可能性があるところだ。慶應義塾大学の憲法学者である山本龍彦氏は、これを「バーチャル・スラム」として問題視する。一度悪いレッテルを張られてしまうと、バーチャル空間ではそのレッテルを払しょくすることが難しい。機械は忘れてはくれず、その評価が一生ついて回ることになる。しかもそのレッテルを張られたとする判断理由が「ブラックボックス」であると訂正も難しい。つまり、一度悪い評価を付けられてしまうと、同じシステムを利用している組織では、理由もわからずに低評価を付けられ続けることになる。

技術で解決——説明可能人工知能の開発

今まで提示した課題に対して、「技術によって生じる問題は技術で解決する」アプローチがある。例えばデータの偏りによって生じる人種差別問題に関しては、「どこにも存在しない人」を作り上げる技術がある。This person does not exist というウェブサイト（https://thispersondoesnotexist.com/）にアクセスすると、敵対的生成ネットワーク（GAN）と呼ばれる技術を用いて、「この世には存在しない人」の顔写真が生成される。「実在しない顔」には著作権やプライバシー問題が生じない（ただし「実在しない」ことの証明は不可能であり、悪魔の証明であることは気をつけなくてはならない）。

学習の中身がブラックボックス化する問題に対しては、何故そのような判断をしたのかを説明する、経過途中を示せるという「説明可能人工知能」や「解釈可能人工知能」という研究領域が推進されている。ただし、説明可能という言葉が意味するところは広く、様々なアプローチが提唱されている。現在、有力な説明方法は、機械が予測や判別を行うときに、対象とする画像や音声データのどの部分に重点を置いているのか根拠を示す方法だ。例えば、ある画像が「何をしているシーンか」という問いかけに対して、答えだけではなくその理由まで示す技術がある。図2は、「このスポーツは何

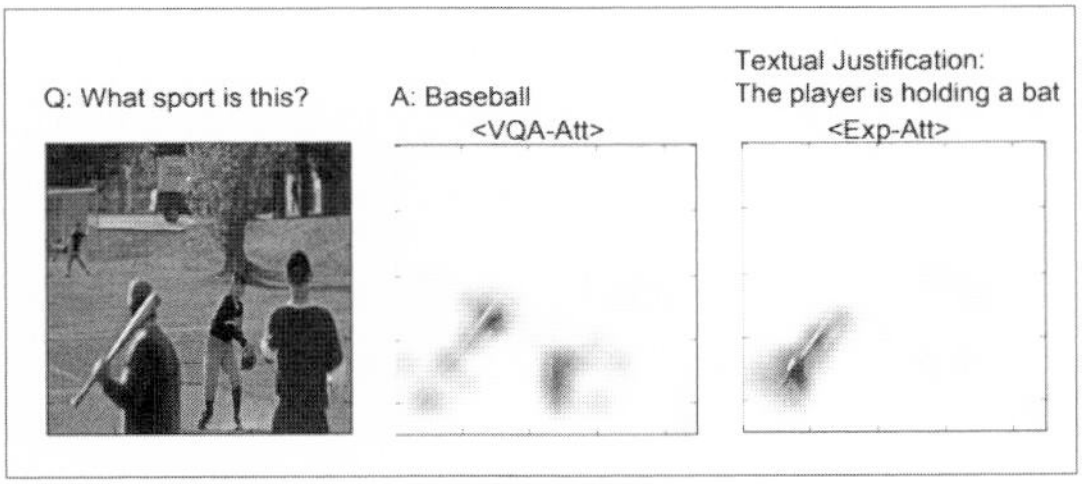

Q: What sport is this?
A: Baseball
<VQA-Att>
Textual Justification:
The player is holding a bat
<Exp-Att>

図2 理由を説明するシステム例。
Attentive Explanations: Justifying Decisions and Pointing to the Evidence, https://arxiv.org/pdf/1612.04757v1.pdf

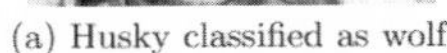

図3　狼と判定されたハスキー犬の写真（左）と、何故狼と判定されたのかの説明画像（右）。https://arxiv.org/pdf/1602.04938.pdf
解説記事はhttp://innovation.uci.edu/2017/08/husky-or-wolf-using-a-black-box-learning-model-to-avoid-adoption-errors/

か」という問いに対して、「答え：野球」、「理由：プレイヤーがバットを握っているため」として画像のバット部分をハイライトして説明している。

理由を示す技術は、うまく判別ができない悪いモデルを修正するためにも有効である。例えば、図3が示すように、あるモデルでは左側の「ハスキー犬」を「狼」と誤って判別してしまう。「狼」と判別する理由を示しているのが右側の図である。ここでは背景の白い部分がその根拠として示されている。ここから、今まで学習させたデータのうち、「狼」の写真は背景が雪であることが多かったため、「雪のある写真」は「狼」と判定していたことが分かった。そこで、雪の中ではない「狼」の写真なども学習データに加えることによって、モデルを修正することができた。

インタフェースで解決――人と機械の協同の仕組み

一方、技術だけで問題が解決できるわけではない。機械が説明するだけでは問題解決に結びつかないこともあるからだ。重要なのは、問題があったときにその責任を誰がとるのか、人と機械の役割や責任の分担の在り方が信頼できる仕組みで作られているかという、人と機械の相互作用のデザイン、つまりインタフェースの観点である。

よく考えてみると、人間も自分の行動理由や判断を明確に、万人が納得できるように説明できるわけではない。例えば、人間による人事採用の基準はどのくらい公平だろうか。成績や自分と同じ出身校という事実、あるいは「何か引っかかった」などの直観と経験で採用の足切りをする場合、人間による採用基準のほうがよほど曖昧かつ「ブラックボックス」である。あるいは数千もの応募から、面接する数人を明日までに絞り込んでくれといわれたら、人間よりは機械の方がはるかに情報の細部まで読み込むことができるだろう。機械だからこそ偏見なく判断ができる可能性もある。

このように、人と機械は判断基準や処理能力が違うため、協同することによって見落としを減らすこともできる。囲碁や将棋などのゲームでも、一番強いのは人と機械が協同した場合だといわれている。個人の有限な経験や偏見によって見落とされてしまう観点を、機械だからこそ網羅的に拾い上げることも可能になる。

そこで人と機械の両方の強みを生かすインタフェースを作り上げることが大事となる。技術の移行期において重要なのは、機械を頼ってもいいが、最終的な判断の基準や責任はどこにあるのか、誰にあるのかを明確化することだ。機械の基準に落とし込めることは落とし込み、落とし込めない基準は最終的に人間の経験と勘、創造性などを発揮して見極めるしかない。

ただし、基準がある程度数値化されるということは、そのルールが明らかにされるとゲームのように攻略することも可能となる。例えば、顔認証で採用や人事を決めるシステムができた場合、「機械に採用されやすいのはこのような顔だ」と分かれば、そのような顔を「作る」ことができる。現在は、顔を加工するアプリなども簡単に使える。あるいは、監視カメラなどで検知されないような特殊な化粧法や、敵対的サンプル（Adversarial Samples）と呼ばれる検知を妨害する技術なども開発されている。

ほかにもゲームの「バグ」をみつけるとショートカットが可能なように、「常識」のない人工知能には、人間であれば絶対に通用しないけれど機械だからこそ通用するような、思いがけない攻略法があるかもしれない。だからこそ、見落とし防止や悪用を防ぐために、人と機械の協同作業が不可欠となる。

政策的に解決——マルチステークホルダーでの議論

現在、誰でもがある一定程度の勉強をすれば、様々な技術の恩恵を受けることができる。一昔前であれば、高価な機材を使って長い時間を必要とした計算や加工も、今では安価で（場合によっては無料で）、すぐに使えるようになった。誰でも簡単に技術が使えるようになったため、前述したような顔の加工アプリや妨害技術の悪用が行われ、社会問題化することもある。そのため、技術の悪用から人々を守るための様々な活動や研究が進められている。

技術の問題を技術で解決することを目指して、機械学習の公平性（Fairness）、説明責任／答責性（Accountability）、透明性（Transparency）を技術に実装する方法が研究されている。これらの研究はその頭文字を合わせてＦＡＴ研究と呼ばれている。それに説明可能性（Explainability）を加えてＦＡＴＥと呼ばれることもある。日本ではまだそれほど注目されていないが、国際的にはこれらの研究領域は注目を浴びている。例えば、機械学習の有名な国際会議では二〇一八年の論文賞に「公平性」に関する論文が選ばれている。

しかし先に述べたように何が公平なのか、どのような仕組みを構築したら問題が起きたときの責任が取れるのかという問題は技術だけでは解決しない。判断基準に納得がいくか、問題が起きたときにどのような制度的な保証があるのか、判断結果に異議申し立てができる仕組みが整っているかなど、技術と社会制度、人々の価値観などが合わさることで信頼できるシステムが構築される。

このことを踏まえて、企業の経営者や技術者、弁護士などの実務家、政策関係者、NPO法人、大学などの研究機関の研究者といった多様なステークホルダーが集まった仕組み作りが始まっている。例えば日本では、二〇一八年に内閣府が「人間中心のAI社会原則」を作り、「プライバシー確保の原則」、「セキュリティ確保の原則」などと並んで「公平性、説明責任及び透明性の原則」など七項目を公開している。同様の原則は、アメリカ、ヨーロッパ、中国など各国でも作られており、国の政策として推進されている。一方、グーグル社、アマゾン社、フェイスブック社、アップル社などのIT大企業が中心となって組織されたパートナーシップ・オン・AIという団体でも、人工知能が雇用や経済、安全性、公平性などにもたらす影響についての調査研究が行われている。マイクロソフト社やグーグル社などの個別企業も人工知能の倫理原則を公開しており、日本でもソニー、富士通、NEC、NTTデータなどが倫理原則を公開している。

原則や自主ルールだけではなく、実効性のある法律が必要だとの議論もある。実際、冒頭で述べたような顔認証技術に関しては、アメリカのいくつかの州や市では、公的機関による顔認証技術の使用を禁止する条例を可決している。またマイクロソフト社も顔認識技術に関しては政府による規制と業界における対策が必要であるとの見解を公開している。今後、技術を推進していくにあたって、何を推奨し、どこは制限するのかについて国際的なルール作りが推進されていくだろう。

AI社会の「歩き方」――知の横断

少子高齢化に伴う働き手の不足は、私たちの生活や仕事に情報技術を導入するきっかけとなるだろう。深層学習のような技術は、日々の生活や仕事での意思決定や判断、予測をサポートするために用いられる。しかし、本章で紹介したように、これらの技術にはまだ課題がある。逆に言うと、これから技術を研究する人工知能分野の研究者、そしてその基礎技術や応用となる工学、理学、数学などを専攻する人たちにとって、とても挑戦のしがいがある分野でもある。

しかし技術だけでは解決できない問題も多い。そこに関しては、技術と人との相互作用のデザイン、インタフェースを考えることが必要となる。ここには社会科学、経済学、心理学、認知科学、人類学などを用いた分野横断的なアプローチが必要とされる。また、農業、医療、介護、サービス業などの各分野に応用される技術を使いこなすためには、農学、医学、地理学、生物学、歴史学などを専攻する人たちも、分析の道具として人工知能技術を使いこなすことが求められる。

さらには、技術の公平性とは何か、望ましい社会像とは何かを考えるためには、哲学や倫理学、文学、芸術的な観点が不可欠である。また実際に政策や法を作る法学や政策学、政治学を専攻する人たちも人工知能技術とは無縁ではいられない。そして、これらの国際的、学際的な学問と実践を結び付ける人材は今後ますます重要になる。

人工知能が浸透した社会を想像してみたとき、技術は私たちの生活や社会のインフラ（環境）となっているはずである。だからこそ、技術を作る人も使う人もまずは技術の可能性と限界を理解しなければならない。そのうえで、どのような社会にしたいのか、どのようなルールを作っていけばいいのか、人と機械の役割や責任をどのように配分すればいいのかを、様々な人たちとの議論を踏まえて構築していかなければならない。技術は道具であり、その道具と相互作用しながら、私たちは社会を作り上げていく。その意味で、人工知能は私たちの社会を映し出す鏡なのである。

プロフィール

江間有沙（えま・ありさ）

二〇一二年東京大学大学院総合文化研究科博士課程修了（学術）。人工知能と社会の関係について考える活動を二〇一四年より有志と開始。現在、東京大学未来ビジョン研究センター特任講師。国立研究開発法人理化学研究所革新知能統合研究センター客員研究員、日本ディープラーニング協会理事も務める。著者に『AI社会の歩き方』（化学同人、二〇一九年）。

読書案内

▼江間有沙『AI社会の歩き方　人工知能とどう付き合うか』化学同人、二〇一九年

▽人工知能に関する議論をするには、本稿で紹介したように、技術者、技術を使う側、政策関係者など様々な人たちとの対話が必要となる。本書では、技術、社会、政策などの分野で現在どのようなことが議論されているかを、ショートストーリーを交えながら紹介している。

▼山本龍彦編『AIと憲法』日本経済新聞出版社、二〇一八年

▽人工知能に関する議論は、人権の基本的な権利に根差す問題も多い。本稿で紹介したバーチャル・ス

ラムなどについても紹介しており、法律に関心がある人だけではなく、技術開発に携わりたいと考えている人たちにも一読をお勧めしたい。

▼一般社団法人日本ディープラーニング協会監修『深層学習教科書ディープラーニング G検定（ジェネラリスト）公式テキスト』翔泳社、二〇一八年

▽一般社団法人日本ディープラーニング協会は、深層学習の基本的知識を有し、適切に応用できる人材を育成する検定を運用している。教科書であるこの本は、人工知能技術の中でも、深層学習の技術的な課題や応用分野、さらには倫理・法的な課題について紹介している。

紛争後の平和構築の鍵を握る治安部門

キハラハント愛

平和を「構築」するという考え方

平和とは武力紛争がないだけでないという考え方は、紛争を武力で終わらせても多くの場合は再発するという現実を突きつけられた、国際社会の反省から生まれた。平和とは武力紛争がないだけではなく、それが持続し、将来的に武力紛争の種となることがない状態であり、異なる言葉や文化をもつ集団が共生できる状態である。また、平和とは、問題が起きた場合に平和的な手段で解決を図ることのできる社会の状態である。そしてその平和には、客観的な要素だけでなく、それぞれの人、それぞれの集団が感じる主観的な要素がある。一九九〇年代に生まれた「人間の安全保障」という概念は、そのような平和の概念に呼応するものであると言えよう。国連によれば、平和構築には、紛争管理のための国家の能力を強化することにより、紛争の継続または再発のリスクを軽減し、持続可能な平和と開発の基盤を築くための幅広い措置が含まれる。[*1] このような持続的な平和を構築するための活動は、戦争から平和への移行期にある国や地域を支援することを中心に行われる。[*2] 武装解除・動員解除・社会復帰（DDR）、地雷撤去、治安維持、文民の保護など、紛争の直後に必要な平和構築の内容のほか、移行期の正義、和解、法の支配と人権の確立、国家機関の建設・再建、開発援助、経済発展、雇用創出、ジェンダー主流化、市民社会の活動の活発化など、主に紛争後しばらく経ってから行われる内容や、紛争の有無・前後と関係なく行われる内容もある。国連は、どの分野・活動を優先するかは現地の人々が決めることが重要であるとしている。[*3]

治安部門とは

では、平和構築の中で治安部門というのはどのような役割を果たすのだろうか。そもそも治安部門というのは何を指すのだろうか。狭義の治安部門は、犯罪・混乱・暴力から社会を守る役割をもつ機関、国家・社会の秩序維持を担当する国家・公共の機関の総称であり、主に警察や軍隊などを意味する。より広義の治安部門は、軍隊、警察、矯正、国境管理、諜報機関、司法制度など、治安に関係のある業務を行う、また、治安に影響を与える国家機関・公共機関全体を意味する。最も広義の治安部門では、さらに自警団、セキュリティ会社などの民間・コミュニティの機関・団体や、民兵組織、武装勢力など、治安に負の影響を与えるすべての団体を含む。[*4] ここでは狭義の治安部門に焦点をあて、それがどのように広義の治安部門と関わり、さらに平和構築の役割を担うのかを考えていく。

なぜ治安部門が鍵となるのか

それでは、治安部門は、持続的な平和を構築するうえでなぜ重要なのだろうか。平和の構成要素に従って見てみよう。

まず第一の要素として、武力紛争がないことが挙げられる。すでにある紛争については、国内においては軍隊、国際機関においても軍事部門が紛争の終結にむけて中心的な働きをする。これから起こりそうな紛争については警察の活動が中心となり、軍隊のバックアップを要請することもある。

第二の要素としては、武器のコントロールが正常に行われ、軍隊・警察でも一般の住民でも、正当な手続きなしに武器を手にできないということと、紛争中に武器を手にしていた軍隊や武装グループが武器を捨てるということが挙げられる。また、紛争中戦っていた人員を動員解除して、社会に復帰させることが必要である。これが、何か不満の種があった際に誰かが武器を取り、その結果紛争が勃発することを防ぐ、重要なステップである。このプロセスにおいては、まさに治安部門の在り方が問われるのである。

それとともに、紛争中の犯罪、とくに重大な人権法や国際人道法違反について、個人の責任（アカウンタビリティ）を問う過程がある。これは、とくに国家機関を構成する公務員が不処罰のまま公職に残ると、法とはあっても使えないもので、何をしても罪には問われないということになり、法の支配が揺らぐことから、重要な過程である。ここで重要なのは、訴追には法の執行業務を担う警察の働きが不可欠だということである。

また、和解のプロセス、国家機関の建設・再建、法の支配の確立（法の支配に関連する国家機関の建設・再建と、法の支配の文化の浸透）、格差の是正、差別・差別的構造の解消、土地問題の解決、人権の確保、ジェンダー主流化など、平和構築のための活動のどれを取っても、ある程度安定した治安の確保は必要となる。また、法の支配や人権、ジェンダーの概念の浸透には、国家主権の中心となる警察・軍隊が率先して自らの機関の内部から変えていかない限り、社会には浸透しない。土地問題の解決、人権の確保などの分野でも、司法の判決や仲裁機関の勧告を執行するためには、法の執行機関が正常に機能していなければならない。

このことを、人間の安全保障という概念を使って、脅威からの自由、欠乏からの自由、尊厳という三つの柱で考えてみると、脅威からの自由の分野が、治安部門が最もあきらかに関与する分野であろう。しかし、欠乏からの自由についても、それを可能にする環境を整えるには、正常に、専門性をもって機能している治安部門が不可欠である。さらに、これらを達成する際に、人々の尊厳を確保したかたちで行うことが必要である。人間の安全保障の判断は、客観的な指標もあるが、それぞれの主観的な判断にもよっている。[*5]

東ティモール

では、紛争後の平和構築の中で治安部門がどのように建設・再建され、それがどのように持続的な平和に関わったかということを、東ティモールの事例で見てみよう。

紛争後の平和の構築について考える場合、まず紛争の原因、背景や主体を理解することが必須であるため、簡単に述べておく。

東ティモールは、太平洋に浮かぶティモール島の東半分で、[*6]四国ほどの広さがある。約六百年間のポルトガルの支配の後、一九七四年にポルトガルが国内の争乱で引き上げ、インドネシアが軍事占領した。四半世紀のあいだ国際社会からはほぼ注目されず、一九九九年までに二〇万人ほどが紛争の影響で命を落とした。[*7] 一九九一年のサンタ・クルズ事件を機に国際社会に注目されるようになり、一九九九年にはスカルノ大統領から交代したハビビ大統領が、東ティモールの住民にインドネシア残留か独立かを問う投票の実施に同意し、国連がこれを運営した。住民投票前後にはインドネシア軍・警察と東ティモール人の民兵による暴力が激化し、住民の大多数がインドネシアや山中に避難する事態となった。投票の結果、独立派が圧勝し、東ティモールは国連の暫定統治を経て、二〇〇二年に独立した。

紛争の様態は、大多数の独立を目指す東ティモール人の住民対インドネシアという構図であった。このため、インドネシアが撤退した後には、東ティモール社会の中に、独立派対併合派という紛争の縮図はなかった。したがって、和解の問題は主にコミュニティレベルではなく、被害者・その家族対加害者という個人のレベルに焦点があたっていた。真実和解委員会（CAVR：Comissão de Acolhimento, Verdade e Reconciliação de Timor Leste）がコミュニティにおける和解会議や個人からの聞きとり調査などを行い、歴史の共有に多大なる貢献をした。[*8] このためか、和解プロセスは平和への大きな障害にはなっていないようだ。

紛争に関係する犯罪の訴追については、紛争後にインドネシア軍・警察、ならびに東ティモール人民兵がインドネ

東ティモール・オエクシ県。現地職員もコンピュータも欠くなかで調査をする筆者と協力する現地の人たち。1999年12月。

東ティモール・リキシャ県バザルテテ。インドネシア撤退後、初めての大統領選挙で投票のために並ぶ現地の人たち。2000年。

シアに帰国・移動したこともあり、刑事的管轄権の違うインドネシア側の加害者を訴追することには障害があった。また、政治的考慮から東ティモールの国家指導者たちが訴追を追及しない道を選んだため、紛争中の犯罪について罪を問われたのは、ごくわずかの東ティモール人民兵だけであった。この不処罰の状態が東ティモールの法の支配に与えた影響は少なくないだろうが、これが平和の構築を妨げるかどうかは、長期的に考慮する必要がある。

国連は暫定政府として立法・行政・司法の三権を同時に引き受け、並行して、インドネシアが引き上げてほぼ空になった国家機関の建設や現地の人々の能力開発をゼロに近い状態から行うという、前代未聞の業務を遂行した。

幸いだったのは、インドネシアが退いた後の治安が良かったことと、東ティモール住民が国連を信頼していたために国家機関建設が比較的スムーズに進んだことである。その中で、治安部門の核となる軍隊と警察がまったく異なる経緯で建設されたことは、注目に値する。

軍隊は、独立紛争を率いたFALINTIL（Forças Armadas de Libertação Nacional de Timor Leste）を中心に設立された。住民投票後の混乱のさなかに東ティモールに派遣された多国籍軍（INTERFET: International Force in East Timor）はすべての武装勢力の武装解除を任務としていたが、独立紛争を率いた武装部隊FALINTILについては、軍営の中に駐屯することを条件に、武装解除が行われなかった。一九九九年十二月にINTERFETから国連の暫定統治に国防・治安の責任が引き渡され、FALINTILは二〇〇一年二月に解隊されたが、直後にそのままF-FDTL (FALINTIL-Força de Defesa de Timor Leste) として国軍にされた。この移行には国連は関与せず、国軍に志願した一七三六人の中から国軍の初めの六五〇人の人員を選抜するプロセスは秘密裡に行われた。この背景には、FALINTILが独立紛争の功績によって住民に敬われていたことがある。国連は、この人選の方法に口を出すこともなく、犯罪や不法行為などの履歴があるかどうか調査したり、それに基づくスクリーニングや人選などを行ったりすることもなかった。[*9]

一方の警察は、国連の暫定統治下では国連警察[*10] (UNPOL: UN Police) が現地の治安維持と法執行にあたり、二〇〇〇年に国連のもとで東ティモール国家警察 (PNTL: Polícia Nasional Timor-Leste) が新設された。PNTLには主に高等教育を受けた若手が新たに警察官に採用され、国連が建設した警察学校で短期の研修を受け、彼らはUNPOLの指揮する警察業務に徐々に関わっていった。インドネシア時代の東ティモール人警察官も雇用されたが、その採用の際にはUNPOLがコミュニティに照会し、人権侵害に直接関わったり、コミュニティとの関係に問題があったりしないことを確認した。しかし、こうして採用された警察官は、コミュニティとの関係が薄かった。[*11] 警察業務は国連警察から東ティモール警察へと、準備ができた県から権限が移行されていき、二〇〇三年十二月に全権が東ティモール警察に移行した。警察は文民警察として設立されたが、のちに国境の警備や要人の保護、暴動の鎮圧などにあたる一部の部署が武装され、[*12] これにより警察と軍隊の役割分担に不明確な点が出てきてしまった。

このように、治安部隊は、東ティモールの治安部門の将来像に基づいて、包括的な戦略を立てて設立されたとは言い難い。国連が東ティモールから引き上げることを前提に、存在する人材と資源の中で可能な支援から考えられた、拙速な権限移行であったと言える。

東ティモールの治安部門の問題点が露呈したのは、二〇〇六年に起こった治安危機である。わずか数か月のあいだに治安部門が崩壊した。二月にF-FDTLの中で差別的な待遇を訴えて任地を離れた兵士たちが解雇され、四月に行われたデモが暴徒化した。争乱が広がり、五月にはF-FDTLに包囲されたPNTLの警察官が白旗をあげて出てきたところにF-FDTLの人員が発砲し、警察官八名が殺害される事態となった。また、軍隊・警察の双方から武器が不法に流出し、非正規に武装された一般市民が暴動に参加した。この治安危機で少なくとも三七人が殺害され、一五万人を超える住民が避難民となった。[*13]

この一連の危機で、軍隊対警察という対立の構図、新しい西部出身者対東部出身者という対立の構図とともに、治安部門の人員が、法の支配ではなく個人のリーダーに忠誠心をもつ、一種の主従関係をよりどころとしている現状があきらかになった。[*14] 国連の特別独立調査委員会は、この危機は国家機関と法の支配の弱さに端を発すると結論づけた。[*15]

これを受けて国連は、八月に治安部門改革を中心とした新しいミッション、東ティモール支援ミッション（UNMIT）を立ち上げ、主に警察の公職追放（vetting process）および再編と、治安危機における犯罪の責任追及を行った。

この東ティモールの事例からわかるのは、①待遇をめぐって治安部門の人員の中にたまった不満が住民に広がり、社会を分断する速さ②東部出身者と西部出身者の分断は歴史的に根のあるものではなく、訴えであった差別的待遇についても現実にはあまり実態のあるものではなかったにもかかわらず、東部出身者・西部出身者という分断が国のリーダーによって支持されると、広く住民にもこの分断の認識が共有されたこと③植民地・紛争を経験した東ティモールの住民が争乱に対して非常に敏感になっていたためか、治安に不安が出るとすばやく大規模な住民の避難が行われたこと、などである。東ティモールの治安危機が示唆するのは、治安部門の中核となる軍隊と警察の連携に問題がある場合、また、治安部門が不安定で、住民がその働きを信頼し、頼ることができない場合に、その不安定さが社会に伝わるスピードとその影響の大きさだと言えそうだ。

ネパール

では、ネパールの例はどうだろうか。

ネパールでは、一九九六年から二〇〇六年までの十年間にわたり、政府軍とマオイスト（共産党毛沢東主義派）が率いる反政府軍とのあいだに内戦があり、二〇〇六年に反政府軍側の勝利により和平合意が結ばれた。この紛争は、もともと中西部・極西部の少数のマオイストによる戦いであったが、王政の廃止を旗印に、他の六政党を巻き込むことになった。もつ者対もたざる者という構図になった紛争は、少数民族、下層カーストの人たち、カースト外の人たち、女性、強制労働させられている人たちなど、差別されていた多くの層を支持層にしていった。

紛争の後、新国家の平和構築は国家主導で行われた。移行期の正義について、国連人権高等弁務官事務所が人権法・国際人道法違反に関する情報を集めた。[*16] しかし、裁判所が訴追の手続きをしても軍隊や警察が協力しない限り被疑者は逮捕されず、文民の裁判所では、紛争に関係する犯罪をめぐっては、未だにひとりも有罪になっていない[*17]。

また、和解も遅れている。被害者やその家族は正義を求め、一部の市民社会とともにその運動を続行している[*18]。真実和解委員会と呼ばれるものや、それに類似するものは何度も設立され、勧告を含む報告書を提出するが、それが実践につながらない。二〇一九年末にはふたたび委員の選抜が行われている[*19]。

治安部門の中核である国軍・警察と武装勢力をどうするかは、和平合意の内容の中に盛り込まれていた。武器回収は国連の管理のもとで行われ、回収された武器は国連の軍事要員が管理した。国連はまた、武器を差し出したマオイストの人民軍の兵士で、紛争終了時に十八歳以上であった者を登録した。登録された人民軍の兵士の武装解除と社会復帰には選択肢があり、主には政府の治安部門に参加する、または一度の経済的支援を受け取り社会に戻る、の二つであった。この過程は新国家体制のもとで設立された委員会によって決定・遂行された。紛争終了時に十八歳以下だった児童兵士をどうするか、人民軍と並行して情報収集・諜報活動やマオイストの政策の実践、ならびに紛争そのものの中で大きな役割を果たしたヤング・コミュニスト・リーグ（YCL）をどうするか[*20]、マオイストの非公式な裁判所である人民裁判所をどうするか、マオイストと戦うことを目的に設置された武装警察（APF: Armed Police Force）を紛争後どうするかなど、さまざまな争点もあり、武装解除・社会復帰のプロセスは、政治的な影響を強く受けた[*21]。YCLは、マオイストの人民軍が解体された後も不法行為に携わっていたことが報告されており[*22]、他の政党も類似の若者の集団を結成したため、これらの集団は人々の生活を脅かすこととなった[*23]。

ネパールの武装警察にデモ隊鎮圧の人権演習を開催。ポカラの武装警察研修所にて。2009年頃。

国軍は、前記のようにマオイストの人民軍から国軍に合流した兵士以外は、紛争における役割や紛争中の犯罪の有無にかかわらず同じ体制を続行し、国連の平和活動にも多くの人員を送り続けている。警察には文民警察（ネパール警察 NP: Nepal Police）と武装警察（APF）があり、NPは捜査や交通整理を含む警察活動を行い、[*24] APFは紛争後、人道援助やデモ・暴動対処、要人の保護などを業務の中心に据えている。[*25] 国軍と警察のあいだに目立って暴力に発展しそうな問題はないようだが、国王に仕える治安部門から国民のための治安部門への移行には、まだ時間を要するようだ。また、紛争中に反政府側が掲げていた、差別・格差の縮小や、土地の再配分についてはまだ解決策がなく、問題が起きたときに平和的に解決せず暴力に訴える傾向も見られるため、持続する平和が構築されたとは言いがたい。[*26]

ネパールのこのような紛争後の事例は、持続的な平和を構築するためには民衆から信頼される治安部門の機関が確立され、法の枠外で活動する武装部隊・集団をなくすことが重要な要素であることを示唆するものと考えられる。民衆から信頼される治安部門とは、紛争中の犯罪についてアカウンタビリティを果たしたうえで、コミュニティ・被害者の両方のレベルで和解を達成した治安部門であり、裁判所の判決を執行できる治安部門ではないだろうか。

長期的な平和の鍵を握る治安部門

こうして見てくると、紛争が終結した後に持続する平和を構築するには、狭義の治安部門が重要な役割を果たしていることがわかるだろう。

東ティモールの例では、治安部門間の役割分担が曖昧であったり、治安部門内に不安定な要素がある場合に、その不安定な要素が社会に非常な速さで広がる可能性があることが判明した。また、治安部門が機能しない場合に、多くの住民が山中に避難するほどに治安に不安を抱くということも示された。武器が厳しくコントロールされていないと暴力が社会に広がり、一般の住民を暴力の危険にさらすということもわかる。

ネパールの事例では、移行期の正義や和解がうまくいくためには、独立して専門的に法の下で機能する治安部門の機関が必要だということが見えてくる。また、法の枠外に治安部門に類似した働きをする機関・団体が存在すると、法の支配の基盤が崩れ、一般住民の安全保障に負の影響を与えることがある。治安部門を担う国家機関は、住民からの信用を得て、住民のために働く治安部門でなければならないということも言えそうだ。

治安部門という定義が、前述のように狭義から広義に変化して理解されるようになってきたのも、狭義の治安部門が持続的な平和の構築に与える影響が大きいと認識されてきていることの表れではないだろうか。

註

＊1 UN, 'Peace and Security', https://www.un.org/en/sections/issues-depth/peace-and-security/, last accessed 2 December 2019.

＊2 国際連合広報センター、「平和構築」、https://www.unic.or.jp/activities/peace_security/peacebuilding/

＊3 UN, 'UN Peacebuilding: an Orientation' (September 2010), available at https://www.un.org/peacebuilding/sites/www.un.org.peacebuilding/files/documents/peacebuilding_orientation.pdf, last accessed 2 December 2019.

＊4 Geneva Center for Security Sector Governance (DCAF), 'The Security Sector', http://ssrbackgrounders.org/fall.php?p=18&l=EN, last accessed 9 December 2019.

＊5 UN Commission on Human Security, 'Human Security Now' (2003), https://reliefweb.int/sites/reliefweb.int/files/resources/91BAEEDBA50C6907C1256D19006A9353-chs-security-may03.pdf, last accessed 9 December 2019.

＊6 ティモール島の西側にオエクシ県という飛び地があり、この地はポルトガルがティモール島に着いた際に使用した港をもつことから、ティモール島の東側とともにポルトガルの植民地とされたため、現在も東ティモールの一部である。

＊7 Comissão de Acolhimento, Verdade e Reconciliação de Timor Leste, 'CAVR', http://www.cavr-timorleste.org/te/, last accessed 9 December 2019.

＊8 Comissão de Acolhimento, Verdade e Reconciliação de Timor Leste, *op.cit.*n.7.

＊9 クロス京子「東ティモール」藤重博美、上杉勇司、古澤嘉朗編『ハイブリッドな国家建設』ナカニシヤ出版、二〇一九年、一〇七―一二七頁。

＊10 二〇〇五年までは軍隊と区別する意味で文民警察（CIVPOL: Civilian Police）と呼ばれていた。

＊11 クロス。

＊12 Polícia Nasional Timor-Leste, 'Operasaun' https://www.pntl.tl/operasaun/, last accessed 9 December 2019.

*13 UN, 'Report of the United Nations Independent Special Commission of Inquiry for Timor-Leste', (October 2006).

*14 Wilson, B.V.E., 'To 2012 and Beyond: International Assistance to Police and Security Sector Development in Timor-Leste', 4 *Asian Politics and Policy* 1 (2012), pp.73-88.

*15 UN (2006), p.16.

*16 UN OHCHR, 'Nepal Conflict Report' (2012), https://www.ohchr.org/Documents/Countries/NP/OHCHR_Nepal_Conflict_Report2012.pdf , last accessed 9 December 2019.

*17 Human Rights Watch, 'Nepal: 13 Years On, No Justice for Conflict Victims' (2019) https://www.hrw.org/news/2019/11/26/nepal-13-years-no-justice-conflict-victims, last accessed 9 December 2019.

*18 Naughton, E., 'Pursuing Truth, Justice and Redress in Nepal', ICTJ (2018), https://www.ictj.org/publication/pursuing-truth-justice-and-redress-nepal, last accessed 9 December 2019; UN OHCHR.

*19 Human Rights Watch.

*20 International Crisis Group, 'Nepal: Peace Postponed' (2007), https://www.crisisgroup.org/asia/south-asia/nepal/nepal-peace-postponed, last accessed 9 December 2019.

*21 Bhandari, C., 'The Re-Integration of Maoist Ex-Combatants in Nepal', 50 *Economic and Political Weekly* 9, (2015) pp.63-67.

*22 UN-OHCHR in Nepal, 'Press Release 23 June 2007: OHCHR-Nepal releases report on YCL rights abuses' (2007), https://nepal.ohchr.org/en/resources/Documents/English/pressreleases/Year%20 2007/JUN2007/2007_06_23_HC_YCL_E.pdf, last accessed 9 December 2019.

*23 Australian Government Refugee Review Tribunal, 'Country Advice Nepal Nepal – NPL38217 – Maoists – Young Communist League – Nepali Congress Party – Police – Jhakribash – Bakachol – Khotang' (2011), https://www.refworld.org/pdfid/4e6ded282.pdf, last accessed 9 December 2019.

*24 Nepal Police, 'Nepal Police', https://www.nepalpolice.gov.np/, last accessed 9 December 2019.

*25 Armed Police Force, 'Armed Police Force, Nepal', https://www.apf.gov.np/, last accessed 9

December 2019.

*26 例えばUN-OHCHR in Nepal, 'Nepal protests: Human Rights Office calls for dialogue and end of violence', (2015) https://www.ohchr.org/EN/NewsEvents/Pages/DisplayNews.aspx?NewsID=16492&LangID=E, last accessed 9 December 2019; UNIC-NHRC, 'NHRC And UN Raise Concern About Humanitarian Impact of Bandh' (2012), https://www.google.com/url?sa=t&rct=j&q=&esrc=s&source=web&cd=4&cad=rja&uact=8&ved=2ahUKEwj49dvQj6jmAhXTBlgKHZFfDKwQFjADegQIARAB&url=http%3A%2F%2Fun.info.np%2FNet%2FNeoDocs%2FView%2F3522&usg=AOvVaw07By2GCIXQQ-fTCWai7USD&cshid=1575879501817765, last accessed 9 December 2019.

プロフィール

キハラハント愛（キハラハント・あい）
エセックス大学法学部で博士号を取得。国連人権高等弁務官事務所、国連難民高等弁務官事務所、国連平和活動などで各国に勤務。現在、東京大学大学院総合文化研究科「人間の安全保障」プログラム准教授。著書に*Holding UNPOL to Account: Individual Criminal Accountability of UN Police Personnel* (Brill, 2017)などがある。

読書案内

▼キハラハント愛「国連警察の武装化の要因分析」『国連研究』第十九号、二〇一八年
▽国連平和活動において警察活動を行う国連警察が武装されていく要因を分析している。

▼藤重博美・上杉勇司・古澤嘉朗編『ハイブリッドな国家建設』ナカニシヤ出版、二〇一九年

▽主に紛争後の各国の国家建設において、治安部門がどのように建設されていったか、事例検証をもとに分析している。

▼藤原帰一・大芝亮・山田哲也編『平和構築・入門』有斐閣、二〇一一年

▽平和構築の基本をわかりやすく解説している。

正義を実験する
——実験政治哲学入門

井上彰

政治哲学とは何か

「実験政治哲学」とは何かに迫るべく、「政治哲学」とは何かから確認しよう。まず政治哲学が対象とするのは、社会的世界である。われわれは社会のなかで、様々な人と付き合いながら生きている。そして、明示的にせよ、暗黙裡にせよ、ルールに従って生きている。法や慣習はその代表例だ。言うまでもなく、法や慣習は統治とは切り離せない。

以上をふまえると、政治哲学とは何だろうか。政治哲学は、社会的世界で生きる人間に対し、いかなる統治（にかかわる制度や行為規範）が望ましいかを明らかにする学問である。このとき、政治哲学の「政治」は、幅広く捉えられる概念である。すなわち、統治にかかわる組織、たとえば政府組織や、立法活動から企業・ＮＰＯの活動、社会運動に至る広く統治にかかわる活動は、すべて政治の範疇に入る。

さて、いかなる統治が望ましいかを探究する政治哲学は、「べき（望ましさ）」を扱う学問である。哲学は、人間世界の究極的構造の解明を課題とする学問である。そのなかでも政治哲学は、社会的世界がどうあるべきかを明らかにすることを課題とする。このとき問われるのは、その「べき」が何によって決まるのか、である。その答は、「価値」である。すなわち、統治のある「べき」姿、企業や市民が従う「べき」ルールは、われわれにとって無視できない価値、それもわれわれが共有する価値が背景にある。政治哲学者は、まさしくその共有する価値の解明を目的として研究してきた。その価値の最有力候補こそ、「正義」である。

正義の概念と構想

正義が統治のある「べき」姿を示すとき、それは正しい統治を示唆するものとなる。正しい統治の要件には、①協調性、②効率性、③安定性がある。協調性とは、種々に動機づけられた人びとの行為が衝突しない状況を意味する。効率性は、各人が追求する目的が社会の目的達成と反しないことである。安定性は、そうした調和や効率が恒久的に維持されていることである。いかなる正義の考え方においても、この三つの要件は、正義が備えるべき概念的特徴である——二十世紀を代表する政治哲学者ジョン・ロールズ（一九二一—二〇〇二）は、主著『正義論』（一九七一年）においてこう主張した。[*1] 今日の政治哲学の進展は、ロールズ『正義論』の存在抜きには語りえない。

重要なのは、そうした正義概念の具体的な中身である。ロールズはその中身を「構想」と呼び、政治哲学の課題は、特定の正義構想を正当化することだとした。以来、政治哲学は、正義構想をめぐる論争を軸に発展してきた。

政治哲学の方法①——規範的推論

それでは、政治哲学者はどのようにして正義構想を特定し、正当化を図るのか。実は、その方法は、サイエンスと変わらない。サイエンスは、複数の前提から仮説を導き、それを検証する営みを通じて発展してきた。物理学における多くの仮説は、重力や質量を前提として構成されている。経済学においても、完全な情報が与えられている状態で合理的に行動する経済主体を所与として、様々な仮説が提起されている。もちろん、アインシュタインの相対性理論のように、そうした前提を覆すような、それまでの体系とは根本的に異なる仮説が提起されてきたのも事実である。しかしその場合でも、前提を置いて仮説を導くという知的営為が重要であることには変わりない。この、複数の前提から仮説を導くことを「推論」と呼ぶ。

政治哲学者が正義構想を特定しようとする際に重視するのは、そうした推論である。すなわち、われわれが置く前提から、いかなる正義原理が導かれるか、を重視するのだ。通常のサイエンスと違うのは、そうした前提にわれわれの規範が大きくかかわる点だ。それでは、政治哲学者はいかなる規範的前提を置くのだろうか。これまで政治哲学者は様々な前提を置いて、正義原理を導く推論を展開してきた。そのなかでもいまなお影響力があるのは、ロールズの規範的推論である。

ロールズは正義構想を特定するにあたって、まず、そうした規範的前提が一部の人間に利するようなものであっては、万人に適用される正義の構想は導けないと考えた。それゆえ、正義原理は、不偏的な状態で人びとが合意できるものでなければならないとした。ロールズの言い方を借りれば、生まれつきの能力や社会的背景について知らない「無知のヴェール」の背後で、すべての人が合意できるかどうかが重要なのだ。

その一方で、人びとはどう生きるべきかを決めるときに、人生目的や手段について合理的に考え、それに従って行動するとも考えた。合理性が重要になるのは、正義が求められている一般的状況と関係する。すなわち、人生をよりよきものにするための手段（資源）は限られている。ロールズはそれを「正義の状況」と名付け、調和的で効率性に反しない、安定的な正義を導くための背景的条件として位置づけた。合理性はそうした状況を所与として、人間がある程度自然に備え、無理なく学習しうる規範的前提である――こうロールズは考えたのだ。

以上からロールズは、誰にも特別に利することのない不偏的状態で、各人が揃って合理的に選定する原理を正義原理とした。その原理とは、「正義の二原理」である。第一原理は、基本的な自由を等しく保障する原理のことを指す。第二原理は、（機会均等が公平に保障される限りにおいて）最も不遇な人に最大限の利益が付与されることを条件に不平等を許容する「格差原理」のことを指す。ロールズは、「不偏性」と「合理性」という二つの前提から導かれる仮説として、正義の二原理を捉えるのだ。

政治哲学者は、ロールズのこの規範的推論について批判的に検討してきた。本当にロールズが置く前提から、この特定の正義構想が導かれるのかどうか、と。とくに、ロールズが謳う不偏性の条件で、本当に格差原理が合理的に選ばれるのかについて、疑問が付されてきた。[*2] このように、サイエンスが科学的推論を重視するように、政治哲学も規範的推論を重視するのである。

政治哲学の方法②——原理の受容性テスト

もっとも政治哲学の方法が、規範的推論のみから成るわけではない。その点もサイエンスと変わらない。サイエンスにおいて仮説は「使い物」になるかどうかが重要だ。つまり、仮説が観察された事象をうまく説明するものかどうかが問われるのだ。もしうまく説明するものならば、その仮説は実証（確証）され、そうでなければ棄却（反証）される。もちろん、実際には実験等を通じて検証自体繰り返されるし、ニュートン力学のように、主要仮説については補助仮説による「延命措置」が図られたりもする。いずれにしても、仮説を検証するプロセスは、サイエンスの要であることは間違いない。仮説は、複雑極まる現実の世界をうまく説明・予測できてはじめて「使い物」になる。

政治哲学においても同様だ。諸々の前提から規範的推論を通じて一貫した正義原理が導けたとしても、それが本当に「使い物」になる原理であるかどうかが問われる。先にみたように、正義は統治のあるべき姿を示す。より具体的には、いかなる社会制度が正しいのか、いかなる行為規範が望ましいのかを示す。そうした制度や行為規範は、われわれの生活に大きな影響を及ぼす。それゆえ、われわれが遵守しうるものでなければ、いかに一貫した正義原理であろうとも理に適ったものとしては受け入れられない。

それゆえ、ロールズをはじめとする政治哲学者の多くは、規範的推論によって導かれた正義原理をテストすることを重視してきた。そのテストとは、正義原理の指令がわれわれの道徳的直観に適うものかどうかのテストである。まさに、経験的観察に相当する道徳的直観によって、仮説に相当する正義原理が検証（テスト）されるのだ。

実験政治哲学が生まれた背景

重要なのは、その道徳的直観が「われわれ一般の人の」直観でなければ、テストの体を成さないことだ。政治哲学者が規範的推論によって導いた仮説を検証するには、その営為からは独立に、一般の人の道徳的直観を「データ」として獲得する必要がある。しかし、ロールズをはじめとする政治哲学者は、その「データ」を「想定上存在するもの」として扱い、原理のテストをおこなってきた。すなわち、われわれの道徳的直観に基づく反応と思しきものを想定し、それに照らして原理の受容性をテストしてきたのだ。これでは、道徳的直観は政治哲学者の直観にすぎないのではないか、という批判を受けてしまう。実際ロールズは、無知のヴェール下で合理的に選定される正義原理が広く受容されるものであると「でっち上げているにすぎない」、との批判を受けてしまった。[*3]

そこで出番となるのは、実験政治哲学である。実験政治哲学は、一般の人に仮想的な質問に答えてもらうかたちで実験をおこなう。それによって、政治哲学者の直観ではなく一般の人の道徳的直観を引き出し、正義原理を独立にテストすることを目論むのだ。これにより、正義原理の一般的受容性を「でっち上げているにすぎない」といった批判は回避できる。

いや、それだけではない。もし正義原理の一般的受容性に疑いがあるとなると、場合によっては、規範的推論を成す諸前提にメスを入れることにもなる。たとえば、正義の二原理が一般的受容性に欠くとなれば、ロールズが設定した「不偏性（無知のヴェールの条件）」や「合理性」の前提を別のものに変えるべきかもしれない。言いかえれば、正義原理の一般的重要性テストの結果次第では、規範的推論を支える前提の再検討までもが求められるのである。

無知のヴェール実験

以上からもわかるように、実験政治哲学は、規範的推論を通じて導かれる原理に一般的受容性がないとなれば、場合によっては規範的推論を成す前提の修正を迫るという積極性をも持ち合わせている。その点を明らかにするためにも、実際におこなわれた「無知のヴェール実験」をみてみよう。

無知のヴェール実験とは、擬似的に無知のヴェール状況をつくり——すなわち、一般の被験者に無知のヴェールの背後に置かれている状況を想像してもらい——どの正義原理が（とくに格差原理が本当に）選ばれるかを検証する実験のことである。この実験を最初におこなったのが、ノーマン・フローリックとジョー・オッペンハイマーである。[*4] フローリックとオッペンハイマーは心理学で一般的な、学生を対象におこなう実験室実験をおこなった。フローリックとオッペンハイマーはまず、アメリカとポーランドの大学生を被験者として、五人から成る八五のグループに分けた。次に、彼らに四つの年間所得の分布をみせ、どの分布を選ぶかを決めさせた（図1）。

四つの分布は、それぞれ有力な正義原理を反映したものとなっている。所得分布①は、平均所得を最大化（二万一六〇〇ドル）するものであり、功利主義の考え方をふまえたものとなっている。所得分布②は、最低所得が保障（一万三〇〇〇ドル）されたうえで、平均所得を最大化するものである（下限付き功利主義）。所得分布③は、貧富の差が一定の範囲（一万七〇〇〇ドル）を超えないように制限され

所得階層	所得分布 ①	②	③	④
上	$32,000	$28,000	$31,000	$21,000
中の上	27,000	22,000	24,000	20,000
中	24,000	20,000	21,000	19,000
中の下	13,000	17,000	16,000	16,000
下	12,000	13,000	14,000	15,000
平均	21,600	20,000	21,200	18,200
範囲	20,000	15,000	17,000	6,000

図1　所得分布図

たかたちで、平均所得を最大化するものである（範囲制限付き功利主義）。所得分布④は、最低所得を最大化（二万五〇〇〇ドル）する原理、すなわち、ロールズが擁護する格差原理をふまえたものである。

被験者はこの四つの所得分布から一つを選ぶわけだが、その選択に際しては以下の二つの条件が課される。第一に、それぞれの分布においてどの階層になるかはランダムで決まる。第二に、分布（原理）の選択はグループ内で議論して全員一致で決める（意見が一致した時点で議論は終了する）。第一の条件は、一定の資源制約の下での無知のヴェールを表現し、第二の条件は、不偏的判断と各人の合理的判断の一致を体現するものとなっている。この二つの条件は、被験者が実際に無知のヴェールの背後で合理的に格差原理を選定するかどうかを見極めるために課されるものである。すなわち、この実験でフローリックとオッペンハイマーは、ロールズの仮説通り、人びとが実際に格差原理を支持するかどうかを検証しようとしたのだ。

実験の結果は、以下の通りである。

所得分布①（功利主義）　一二・三パーセント
所得分布②（下限付き功利主義）　七七・八パーセント
所得分布③（範囲制限付き功利主義）　八・六パーセント
所得分布④（格差原理）　一・二パーセント

この結果をみれば明らかなように、ロールズが規範的推論によって導かれるとする格差原理は、断トツで不人気である。対照的に、最も支持を受けたのは下限付き功利主義である。ちなみに、類似の結果はフローリックとオッペンハイマー以降の追試的実験でも再現されており、正義原理の一般的受容性を見極めるうえで無視できないものとなっている。[*5] この再現されている実験結果を、われわれはどう受け止めるべきだろうか。

再現性のチェック

格差原理が擬似的な無知のヴェール下で選ばれないということをもって、ただちにロールズの規範的推論にメスが入れられるべき、という話になるだろうか。事はそれほど単純ではない。確かに格差原理が一番不人気であるという結果は、実験室実験に基づく追試でも確認されてきた。だからといって、それを鵜呑みにする必要はない。実験政治哲学者がまずおこなうべきは、再現性のチェックである。

いくつかのチェックポイントがある。第一に、実験条件についてである。これまでの無知のヴェール実験の被験者は、フローリックとオッペンハイマーの研究も含めて主に大学生である。この時点で、サンプルが人口構成を記述的に代表するものになっていないことは、指摘するまでもないだろう。また、実験室実験では被験者の「数（サンプルサイズ）」が限られている。フローリックとオッペンハイマーの研究は、実験室実験としては大規模なものである。だがそれでも、バイアスが介在している可能性については否定できない。

第二にチェックすべきは、実験デザインである。ロールズの無知のヴェールの条件下で格差原理が選ばれずに他の原理――下限付き功利主義――が選ばれる傾向が実験によって判明したと言うためには、実験上の無知のヴェールの想定がロールズの無知のヴェールの条件に少なくとも近いものでなければならない。しかし、フローリックとオッペンハイマーの研究をはじめ、実験室実験における無知のヴェールは、生まれつきの能力や社会的背景についての知識を被験者から剥奪するものではない（当たり前だが、それはそもそも不可能だ）。無知のヴェール実験での不偏性は、あくまでどの所得になるかわからないという条件でしかない。したがって、ロールズの不偏性に近似さえしていない。

それゆえ再現性のチェックの段階で、まだまだやるべきことはある。実験条件については、そもそも実験政治哲学の目的からして、一般の人の道徳的直観を明らかにすることが重要である。となると、一般の、様々な属性を持つ人たちをサンプリングすることが肝要である。少なくとも、サンプルバイアスには細心の注意を払わなければならない。それは、高度な統計的分析をおこなうにしても、だ。そのことをふまえて、私は政治学者の善教将大氏と坂本治也氏とともに、オンライン調査を通じて、人口構成比をふまえたかたちでの無知のヴェール実験をおこなった。*6

実験デザインについては、ロールズの無知のヴェールに近似した状況をつくることが肝要だ。生まれつきの能力や社会的背景についての知識を剥奪することは不可能だとしても、そうした知識に可能な限り依拠させないようにすることは可能だ。実際、右に触れた共同研究では、ロールズが想定する無知のヴェールに、少なくともこれまでの実験室実験での実験よりは近似していると言えるヴィネットをつくり、実験をおこなった。その結果は、格差原理が一番不人気である、といった単純なものではなかった。

反照的均衡

以上のような厳正な再現性のチェックの末に、ロールズの推論通りには格差原理が導けないとなったら、規範的推論の前提にメスが入ることになる。そして、人びとが選ぶ原理が下限付き功利主義であるとの結果が頑健に出ているとして、それが何によってもたらされたのかを精査すべきである。無知のヴェールの特殊な条件によるものか、それとも合理性の前提によるものか——こうした検討を丁寧におこなうことが求められる。

もちろん、一般の人が選んだ原理こそが「正しい原理」であるのだから、前提を変更すべきというのは明らかに間違っている。重要なのは、一般の人が選択する原理と規範的推論によって導かれる原理とのズレが、前提条件の改訂をどの程度求めるのかを試行錯誤しながら見極めることである。ロールズはこの、試行錯誤の末に出てくるものを「反照的均衡」と呼んだ。政治哲学の議論は、規範的推論が全面的に正しいとか、一般の人が実際に支持する原理が全面的に正しい、ということでは決着しない。先にみたように、規範的推論から一貫した原理を導き出せたとしても、それがわれわれにとって遵守可能なものとなるかどうかについては別の話だ。もちろん、一般の人が実際に支持する原理こそが紛う方なき正義原理である、などと言えるはずもない。

このとき政治哲学者がおこなうべきは、どちらかに依拠して裁断的に議論することではない。求められるのは、両者の不断な照合作業である。ロールズは、政治哲学においては、そうした照合作業を半ば永久的におこなうことは不可避だと考えた。その一方でロールズは、その作業は哲学者の手でおこなわれることを想定していた。それに対し私はロールズとは違い、一般の人を被験者とする実験や統計的分析を駆使して、共同研究というかたちで学際的に照合作業を進めるべきだと考える。こうした実験政治哲学のプロジェクトは、まだ始まったばかりである。

註

*1 J・ロールズ『正義論［改訂版］』川本隆史・福間聡・神島裕子訳、紀伊國屋書店、二〇一〇年、第一節。

*2 N. Daniels (ed.), *Realizing Rawls: Critical Studies on Rawls' 'A Theory of Justice'*, (Stanford, CA: Stanford University Press, 1975.), Parts I and II, に収められた諸論考を参照されたい。

*3 R. Hare, "Rawls' Theory of Justice." *Philosophical Quarterly* 23(91), 1973.

*4 N. Frohlich and J. A. Oppenheimer, *Choosing Justice: An Experimental Approach to Ethical Theory*. (Berkeley, CA: University of California Press, 1992).

*5 たとえば、G. Lissowski, T. Tyszka, and W. Okrasa, "Principles of Distributive Justice: Experiments in Poland and America." *Journal of Conflict Resolution* 35(1), 1991; J. P. Bruner, "Decisions behind the Veil: An Experimental Approach." In T. Lombrozo, J. Knobe, and S. Nichols (eds.) *Oxford Studies in Experimental Philosophy*, vol. 2. (New York: Oxford University Press, 2018).

*6 A. Inoue, M. Zenkyo, and H. Sakamoto, "Making the Veil of Ignorance Work: Evidence from Survey Experiments." 日本政治学会二〇一七年度研究大会、二〇一七年九月二十四日。

プロフィール

井上彰（いのうえ・あきら）

一九七五年生まれ。東京大学大学院総合文化研究科国際社会科学専攻博士課程単位取得退学。オーストラリア国立大学大学院社会科学研究校哲学科博士課程修了（Ph.D. in Philosophy）。東京大学大学院総合文化研究科国際社会科学専攻助教、群馬大学社会情報学部専任講師、立命館大学大学院先端総合学術研究科准教授を経て、二〇一七年より東京大学大学院総合文化研究科国際社会科学専攻准教授。専門は政治哲学・倫理学。

読書案内

▼ジョン・ロールズ『正義論』川本隆史・福間聡・神島裕子訳、紀伊國屋書店、二〇一〇年

▽今日の政治哲学のあり方を決定づけた著作。その主題・方法（論）から、その内容に至るまで、いまなお色あせていない大著。政治哲学に本格的に取り組みたい者にとっては、避けて通れない古典。

▶宇佐美誠・児玉聡・井上彰・松元雅和『正義論——ベーシックスからフロンティアまで』法律文化社、二〇一九年

▷正義論を学習したい人に適した教科書。基本理念から応用に至るまで、最先端の議論を学ぶことができる。

▶井上彰『正義・平等・責任——平等主義的正義論の新たなる展開』岩波書店、二〇一七年

▷ロールズ以降の平等主義的正義論の進展をふまえて、平等と責任にかんする独自の正義構想を提示する試み。是非批判的に検討して欲しい。

▶W. Gaertner and E. Schokkaert, *Empirical Social Choice: Questionnaire-experimental Studies on Distributive Justice.* (New York: Cambridge University Press, 2012).

▷実験政治哲学に通ずる様々な分配的正義をめぐる実験研究を網羅的に紹介・検討した本。この本から気になる実験研究に直に当たってみるとよい。

摩擦を読み解く

グローバル化時代の中華世界
――多様と流動のエチカ

石井剛

「中国」とはどこか

まずこの図から始めよう（図1）。西暦紀元後に世界の経済バランスがどのように推移してきたかを示す地図だ。世界経済の重心は、十九世紀ごろまではカスピ海東側の中央アジア付近にほぼとどまっていたが、その後は百年ほどの短期間にぐっと北西に移動している。再び反転が生じたのは二十世紀半ばで、またもとの重心があった方向へと伸びている。

驚くべきなのはそのスピードの速さだ。産業革命後一気に西に移動した重心は、反転後、その倍ほどはあろうかという速度で中国を目指している。この図を掲載した『エコノミスト』誌の記事は、その牽引力になっているのは中国であるという。記事によると、中華人民共和国の急速な経済発展は、二〇〇八年の金融危機以降の世界におけるGDP成長のうち四五パーセントを一国で占めている。一九九〇年以降の世界全体での貧困離脱人口のうち三分の二は、中国のものであったとも記事は述べる。

一方で、一九九〇年以降の炭素排出量増加分のうち五五パーセントは中国に由来し、また、軍事予

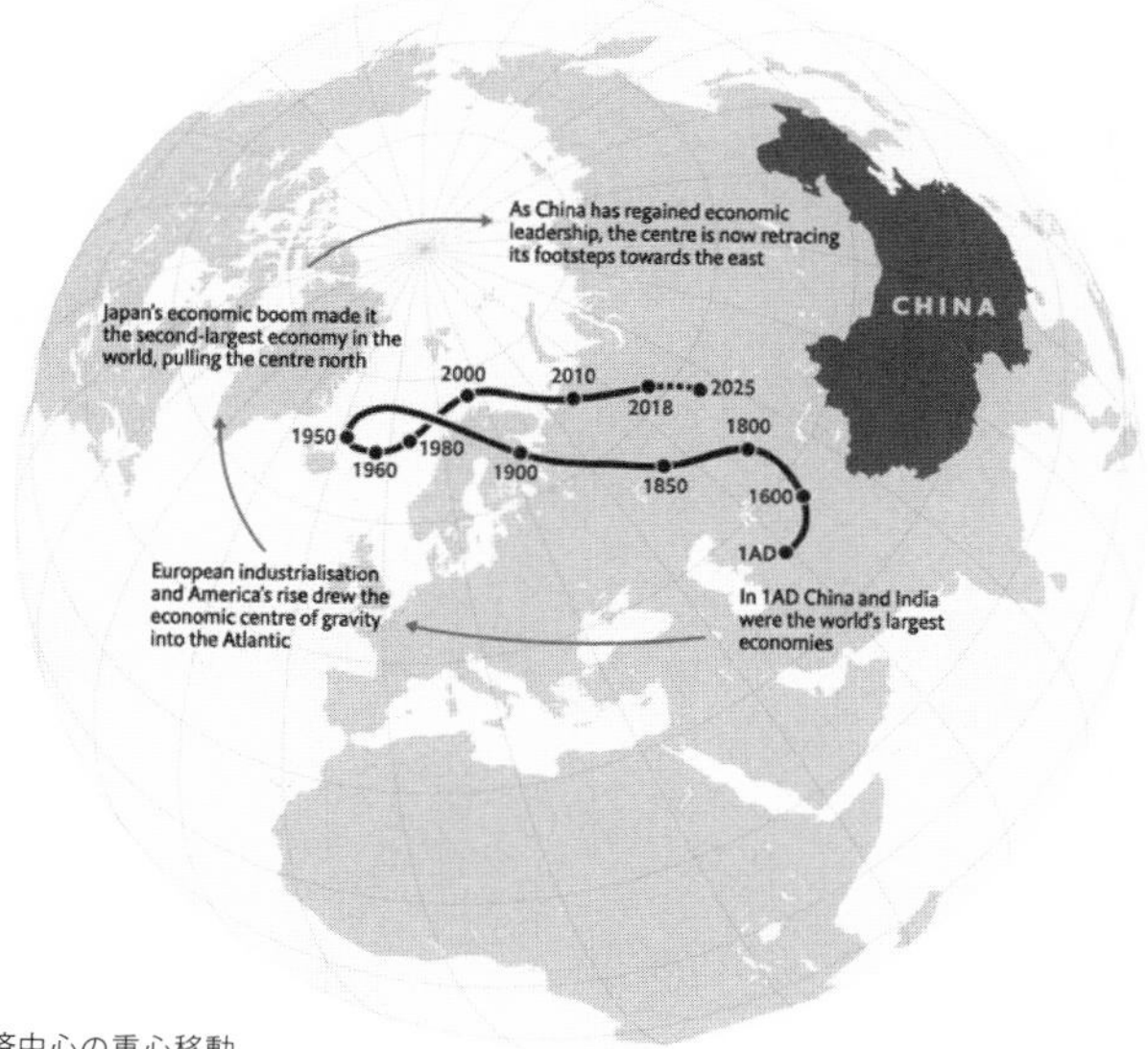

図1　経済中心の重心移動

算増加分の六〇パーセントは人民解放軍が占めている。中国はその巨大な経済力によって、すでに二十一世紀の覇権を勝ち得ていると記事は結論する。[*1]なるほど中国の大国化は世界の政治や経済、さらには生態系を、これまで、特に近代において人類が親しんできたのとは異なった姿に変えようとしていると言えそうだ。

だが、これは、資本主義システムによる産業活動を示す諸指標を国民国家単位で数値化した結果、中国が目立つようになってきたというにすぎない。世界のバランスが変わりつつあるとは言っても、そのバランスを測るメジャーがそれにつれて変わっているわけではないのだ。しかし、気候変動や資源の枯渇、情報技術の飛躍的な発展などの変化が示しているのは、おそらく、そういった諸指標そのもの、いや、これまで人類が共有してきた価値観や世界観そのものが大きく変わらざるを得ない瀬戸際をいまやわたしたちが迎えようとしているということではないだろうか。そういう大きなスコープを想像してみると、世界重心移動曲線に対しても、また別の見方が生じてくるかもしれない。

ことばを換えると、わたしたちはこうした分析に満足して、なるほど二十一世紀は中国の世紀だと肯くだけで済ませるわけにはいかないのだ。重心の位置取りは各国のGDPに応じて行われたそうだ。そもそも南半球の経済力はこの曲線を描く際にどれほど考慮されているのだろうかという疑問もあるが、こと中国に限ってみても、この二千年の歴史の中で、「中国」すなわち中華人民共和国が存在するのは直近のわずか七十年だけであり、それより前、特に歴代王朝時代には、そもそも国境も不分明な帝国秩序のもとで領域は伸縮を繰り返し、時には複数王朝が並立した。そういう複雑な歴史を踏まえてみると、二千年を通じて一貫した経済体として「中国」を抽出することがどうすれば可能になるのか疑問が湧いてくる。

「中国」を国号とする最初の国家は一九一二年に成立した中華民国である。その国が生まれた場所では、一八四〇年のアヘン戦争から始まる帝国主義列強の進出による王朝の弱体化を克服するために、満洲人やその他の諸民族を含む多民族共和国を目指すべきか、それとも、漢人による民族自決を推し進めるべきかについて、激しい論争と対立が繰り広げられた。その結果、「満漢蒙蔵回」（満洲人、漢人、モンゴル人、チベット人、ウイグル人）を主たる構成民族とする共和国家として中華民国は誕生した。もし漢人単独による民族政権が樹立されていたとしたら、近代中国のかたちは、今日のそれとは根本的に異なったものとなっていたに違いない。いったいだれが「中華」の主体であり、何が「中華」の構成要素なのかということは、自明のことではまったくない。

中国の歴史学者葛兆光（Ge Zhaoguang）は、今日の中華人民共和国の領土を自明視して「中国」の歴史を遡ること自体が非歴史的であると批判している。だからといって、彼は「中国はなかった」という極論に立つわけではない。「中国」自体は領域的にも民族的にも可変的、混淆的であり、それでもなお「中国」としか呼び得ないものが実体として一貫して存在してきたと葛は主張するのである。[*2] ならば、わたしたちは、「二十一世紀は中国の世紀」という類のジャーナリスティックな命題をそのまま受け入れるのではなく、そこで言われている「中国」とはいったい何を指すのかと問うことは正当だし、これまでにはない「中国」について想像してみることも必要となるであろう。わたしたちが慣れ親しんできた近代的世界が別のフェーズへと転換しようとしているのだとしたら、別の世界像を想像することは変化と共に訪れるかも知れぬ災厄を回避する手がかりとなるにちがいない。

念のため、「中国」と「中華」という二つの単語が本稿には混在するが、英語ではどちらもChinaとなるので、両者の違いをことさら区別する意図はないことをあらかじめ断っておく。

華と夷のダイナミズム

それにしても、「中国」が「中央の国（Middle Kingdom）」を含意することはいいとしても、「中華」の「華」とは何だろうか。太古の中原（黄河文明が繁栄した黄河中流域一帯を指す）文明を担っていた人々のことを「華夏」と呼んでいたその「華」のことがおそらくは連想されるだろう。また、「華」はしばしば中原の外側の諸民族を「夷」と呼ぶのと対照的に用いられる。つまり、文明の華々しくかがやく中央の「華」と、その恩恵に浴することのない、周縁の野蛮な「夷」によって世界は構成されるという華夷秩序論だ。中心から周縁へと、文明の恩恵は同心円状に広がりながら弱くなっていき、その最も外縁部は文明の光が届かない「晦」(=「海」)へと続く。これが中華的「天下」の構造だった。[*3]天下の中心にある文明的民族としての華と、その周辺の野蛮な民族である夷という構図は、いかにも自民族中心主義的な独りよがりではないかという声がたちどころに上がるだろう。しかし、華を担うことができるのは中原に古くから住んでいた特定の民族だけではない。満洲人が建てた王朝であった清の雍正帝の言葉を引こう。

わが王朝が満洲であるということは、言ってみれば中国における本籍のようなものだ。舜は東夷の人だったし、文王は西夷の人だった。それでもその聖なる徳に何ら影響はなかったではないか。[*4]

満洲という出自は本籍を示すにすぎないのであってそれ以上の意味はないと言うその根拠は『孟子』の記述だ。それによると、伝説の聖王舜は「諸馮」という中原の東に位置する夷の出であり、儒学が理想の王朝と崇める周を建てた文王は、中原の西、「岐周」の人であり、やはり夷であった。[*5]中華文明の黎明期を飾る有徳の王は夷の出身だったのであり、したがって、華の文明を代表するのが、万里の長城の外からやってきた満洲人であってもなんら問題はない。だいじなことは、天子として君臨するにたる高い徳を有しているかどうかなのである。そういう主張だ。事実、清王朝はその後、華々しく経済が栄え、学問文化が振興する、当時の世界で有数の文明国となった。そして、華夷概念を民族差別に結びつけるのは誤っているという考えは、その後、清代末期における近代国家構想のなかで、満洲人皇帝の地位を保ちながら多民族国家を建設しようという議論へとつながり、漢人社会のなかでもかなり大きな共感を得ていた。

一方で、満洲人による支配を覆さないかぎり、中国の近代化は不可能であると考える人々も存在していた。その代表的論客章炳麟（Zhang Binglin、一八六九―一九三六、図2）は、華とは本来、中原にあった地名であり、そこに暮らす人びとの血筋を引く漢人こそがそれを代表していると述べる。章炳麟は「中華民国」という国号の創案者であったと言われるが、華の歴史的由来から説き起こして新しい共和国の構想を詳しく論じた『中華民国解』のなかでは、満洲人の専制のもとで虐げられていた漢人が主権者となる国家を樹立し、周辺民族は漢民族国家での去留を自分たちで選び、その外側には、「部」という自治領を設けて帝国主義に抵抗する同盟を構成しようと呼びかける。*6

図2　章炳麟

章炳麟と共に漢人ナショナリズムによる革命を推進した孫文（Sun Yat-sen、一八六六―一九二五）をリーダーとして成立した中華民国は、満洲人の皇権を否定したものの、国家の領域はほぼ清朝を受け継いで、「五族共和」の多民族共和国となった。章炳麟らのナショナリズムをエスニック・ナショナリズムと呼ぶなら、民族的出自を不問にする「華」の定義に従って多民族国家を作ろうとする立場は文化ナショナリズムと呼べるだろう。中華民国は、この二つのナショナリズムが相互に妥協し合いながら成立している。華という概念自体が、二つのナショナリズムのアマルガム（混合物）として機能しているのが、近代中国の現実であると言える。

雍正帝流の華夷転換論を近代国際関係にまで応用しようとしたのが内藤湖南（一八六六―一九三四）である。彼は、中華文明の中心は時代と共に移動すると主張すると共に、列強に蹂躙される一方で、新国家建設が思うように進まない中国の現状に対して、日本こそが新しい中華たりうるのだと嘯く。[*7] 内藤は、中華を代表するのが特定の民族でないばかりか、天下の中心は文明の栄枯盛衰と共に移動するとまで述べたわけで、要は、誰でもどこでも、中華世界に君臨するにたるほど高いレベルで中華文明の文化と道徳を身につけさえすれば、中華を代表しうるとしたのである。内藤の議論は、孫文や章炳麟のリーダーシップのもとで当時生起しつつあった民族革命の動きを過小評価するだけではなく、日本の大陸進出を正当化するものであり、のちに強い批判を受けることになるし、その批判は正しい。[*8] 内藤は、章炳麟らのナショナリズムこそは帝国主義が世界を席捲する「長い十九世紀」を克服しようとする、二十世紀の新しい正義であったことに気づいていなかったのだ。

だがその後、今日に至ると、エスニック・ナショナリズムは排外主義や人種差別にもつながり、もはや手放しで肯定できるものではなくなっている。強硬な漢人ナショナリズムの持ち主だった章炳麟すらも、「愛国の念は強国の民には有ってはなら」ないと述べており、自らの主張を無条件に正しいとしていたわけではなかった。[*9]

では、グローバル化時代の今日、アマルガムとしてのナショナリズムを維持したまま影響力を強める中国のもとで、中華概念はどのように変わっていくだろうか。一帯一路構想や、情報技術の急速な発展の現実を見ていると、中華は、国の領域を超えてネットワークのように広く世界に浸透していくかのようにも思えてくる。今日わたしたちが経験しようとしている事態は、内藤湖南の文化中心移動仮説をはるかに凌駕して、中華がユビキタスに世界を覆うかもしれない未来さえも予感させる。

少し角度を変えて、「中国」が世界に拡散している例を言語の使用という側面に沿って考えてみたい。世界の中国語人口は、第二言語としての使用者まで含めると一一億一〇〇〇万人余りで、最大人口を擁する英語の一一億三〇〇〇万人余りに次ぐ。だが、この統計は、Mandarin Chinese、つまりわたしたちが大学を中心に学校教育で学ぶ標準的中国語(「普通話」という)に限ったもので、発音こそ異なれど表記上は基本的に同じ上海語や広東語、台湾語、客家語などを含んだ広義中国語(Chinese macrolanguage)の総合で統計を取ると英語を簡単に超える。*10 これだけの人口の多さは、もちろん中国が世界最大の人口大国であることによるが、広義中国語を話す人々の分布は、その領域をはるかに超えて世界中に広がっている。東南アジアの華人・華僑については言うまでもない。それ以外にも例えば英語圏の主要国で見ても、カナダには約一三〇万人、アメリカには約二〇〇万人、オーストラリアには約九〇万人の中国語人口がいるとされる。*11 日本にも多くの中国人がいるが、その人口は約五一万人であり、これらに比べると少ない。*12 カナダとオーストラリアの総人口はそれぞれ三七〇〇万人と二五〇〇万人というから、それらの国での中国語使用住民の存在感は日本で感じるよりもずっと大きいにちがいない。中国語母語話者は移民先の市民社会を構成し、そこで子孫を残していく。共通のルーツ(root)を持つ人々が、世界中でそれぞれの生活の軌跡(route)を描いていく。こうした現象は、中国の国力増強と無関係ではないが、海外に広がっていく人々のほとんどは何も国を背負っていくわけではない。むしろ、母国から遠く離れているが故に、国際関係の風向きの変化に最も翻弄されやすい人々ですらある。彼らが時に離散民族(ダイアスポラ、diaspora)と呼ばれるゆえんでもあるだろう。

チャイニーズ・ダイアスポラに視線を向けることで、わたしたちはグローバル化時代の「中華」を別の角度から認識するきっかけを得る。その方法の一つに、サイノフォーン・スタディーズ(Sinophone Studies)がある。それが研究対象とするのは広義中国語の内部多様性と流動性である。普通話は、方言の違いを越えた国民の共通語として、近代になって人工的につくられた言語であって、実際には同じ国のなかでも地域によって多様な方言が使用され、異なる地域の人々がそれぞれ自分の方言を使うとまったく意思疎通ができないほど、方言間の違いは大きい。したがって、中国語話者のアイデンティティは、エスニシティ、地域、使用言語などの要素が多重に絡み合いながら、相互の流動を伴って形成される。それらを包括的に概念化した術語がサイノフォーンである。[*13]

サイノフォーン・スタディーズの立役者の一人、史書美(Shu-mei Shih)は、サイノフォーンの地域的拡散の動因を大陸型植民主義、開拓者植民主義、移民の三類型にまとめる。「満漢蒙蔵回」のモンゴル、チベット、ウイグルをはじめ、中国の周縁地域に生活する中国語を母語としないエスニック・グループの間でも、中国の近代化と共に中国語使用が広がっている。史書美はこれらの地域に対するサイノフォーンの浸透プロセスを大陸型植民主義であると断じ、さらに、東シナ海から南下して東南アジアへと続いた移民の潮流を、イギリスから新大陸を目指した人々とも類似する開拓型の植民主義に分類する。[*14]

一方、王徳威(David Der-wei Wang)は、雍正帝の華夷相互転換論に立ちながら、サイノフォーン内部の多様性や、それと外部との接触によって生じる摩擦や軋轢自体を、さまざまに異なる声が同時に混じり合いながら共存する世界のありようとしてとらえる。王徳威が編集したサイノフォーン文学のアンソロジー『華夷風』(高嘉謙、胡金倫との共編。聯経出版、二〇一六年)は、サイノフォーンとその外部との接触と相互異化をテーマ化した文学作品を多く収録している（図3）。例えば、台湾出身でアメリカに渡り、中国語で執筆を続ける作家白先勇（Pai Hsien-yung）の『シカゴの死』は、主人公呉漢魂が、シカゴ大学で文学博士の学位を取得した瞬間から生きる意味の喪失感に苛まされるすがたを描く。シカゴの夜の世界の頽廃は、苦学する彼を支えてきた故郷とのつながりが否応なく切断されていく失意と共振する。それとは対照的に、三毛（Sanmao、一九四三―一九九一）の『砂漠のなかのレストラン』は明るい自伝的小説だ。スペイン人の夫といっしょにサハラ砂漠に暮らす主人公（実は三毛その人）が中国の食材を使って夫やその同僚たちに料理をふるまう。夫婦の間のユーモアが散りばめられ、食卓を囲む笑いは尽きない。それでもなお、食材に対する誤解やそもそも乏しい食材に工夫を凝らすようすは、そこはかとないペーソスを醸し出している。客家人としてボルネオに生まれ育った李永平（Lee Yung Ping、一九四七―二〇一七）の作品『拉子婦』は、「わたし」の家に嫁いで叔母となった「土人」に対する差別と嘲りの記憶が悔悟の語りによってまざまざと浮き彫りにされる。『祖先の霊に忘れられた子』は台湾の先住民族出身のリグラヴ・アウ（Liglav Awu）が中国語を使って書いた作品だ。ほかにもチベット族の阿来（Alai）などの作品も収録されているように、サイノフォーン・スタディーズは、台湾を含む中国の領域内で中国語を使用しているエスニック・マイノリティも対象に含む。

図3 『華夷風』の表紙

サイノフォーン文学は中国語によって書かれた作品を対象にするが、サイノフォーン話者が使用する言語は中国語だけではない。中国出身で現在はボストンに居を構え、全米図書賞の受賞歴もあるハ・ジン（Ha Jin）や、芥川賞を受賞した楊逸（Yang Yi）はその代表例だろう。サイノフォーンは、「中国」という現実の政治的実体の境界をはみ出し、言語の境界も跳び越えながら世界に散らばる。彼らに共通するのが中華性であることは確かだ。だが、その中華性は何らかの共通の政治的・文化的アイデンティティに回収されるものではなさそうだ。サイノフォーンの世界において、故郷としての「中国」は、人それぞれに異なっているだけではなく、原理的には異化された想像のなかにしか存在しない。中国語を使うが台湾で暮らすモンゴル人の席慕容（Xi Murong）などにとって、「中国」とは、大陸中国なのか、それとも台湾（中華民国）なのか。彼女の「母国」がそれらのいずれかだとすると、彼女にとってモンゴルとはいったい何なのだろうか。

伝統中国の士大夫たちは、自ら仕えた王朝が滅びると、新しい王朝には出仕せずに隠遁することで忠節を示した。これを「遺民」と呼ぶ。サイノフォーンとは「遺民」的生き方であり、さらにはそれすらも歴史の記憶へと後退した「ポスト遺民」としての生き方であると王徳威は述べる。[*15] つまり、サイノフォーン文学は、中華の刻印が刻まれた言語を使いながらも、アイデンティティの根（root）としての中華がもはや帰還不能と化すことで初めて成立する、故郷喪失者の文学なのだ。

グローバル時代のエチカ

サイノフォーンは異質な者同士の共通項ではない。その逆に、一人ひとりに固有の単独性がそれによって浮き彫りになる媒介なのだ。そして考えてみれば、このことは、ことサイノフォーンにのみ特徴的なのではない。本稿を読む人々の多くは日本語を操って生活している人、一般に「日本人」と言われている人だろう。だが、その一人ひとりには、今日ここに至るまで、それぞれに異なったrouteが存在する。それを逆にたどっていった先の、その彼方にあるrootは、もはや想像のなか以外のどこにも存在しない。それどころか、routeを詳しくたどるほどに無数の枝分かれに気づき、rootは先端を見出すのが到底不可能なほど無数に広がるはずだ。そして、それこそが世界に生きるわたしたちの声の固有性と多様性を支えていることに、わたしたちは想到するべきではなかろうか。

人が地球レベルで流動するようになったこのグローバル化の時代にわたしたちが求めるのは、無数の声のどれかひとつによって主宰される世界ではなく、それらのひとつひとつが皆、自分の声をありのままに謳歌できる世界だろう。章炳麟は、そういう世界を『荘子』のなかの寓話になぞらえて「天籟」と呼んだ。『荘子』斉物論篇の冒頭に登場する南郭子綦は、「天籟」(天の笛の音)を聞いて我を忘れている。それは何かと問われると、彼は、大地の洞を風が通り抜ける際に鳴る音の千差万別であるさまを述べて、「吹けばすべてが異なるが、それぞれが個々の自分である」ような境地だと答える。章炳麟は、人間を含むあらゆる動植物が発する無数の声音が自由に響き渡るさまであると理解し、「天籟」とは「各々ちがう声を出して自分の気持ちを述べる」世界の理想であると解釈する。*16

「中国の世紀が進行中」の今日であればこそ、「中国」というシンボルを背負った多くの声のひとつひとつをユニークなものとして聞き取るきっかけを、サイノフォーン・スタディーズは与えてくれる。「中国」をひとつの統合的システムとして見るのではなく、その内部にある無数の声のひとつひとつに耳を澄ませること。それは、新しい時代を二十世紀までの覇権的世界とは異なるものとして構想するための、小さいかもしれないがきっと重要な一歩である。
これから中国語を学ぶ人たちが、サイノフォーンとしての豊かな広がりと奥行きを感じながらそれを学んでくれることを、中国語を使って仕事をするわたしは期待してやまない。

註

＊1 以上、図1も含めてデータはすべて、"The Chinese century is well under way", *The Economist*, October 28th 2018 edition, https://www.economist.com/graphic-detail/2018/10/27/the-chinese-century-is-well-under-way（二〇一九年十月十四日閲覧）による。

＊2 葛兆光「「何が中国か？」の思想史——論じられた三つの時代」辻康吾訳、『思想』第一一三〇号、五—二二頁、二〇一八年。

＊3 「天下的世界観」とその評価については、石井剛「「シナ学」の現代中国認識——平岡武夫の天下的世界観をめぐって」代田智明監修、谷垣真理子・伊藤徳也・岩月純一編『戦後日本の中国研究と中国認識』風響社、二〇一八年、二二七—二五四頁。

＊4 雍正帝『大義覚迷録』巻一、第二葉から第三葉、『近代中国史料叢刊』第三六輯、一九三六年、四—五頁。

＊5 『孟子』離婁下に見える。

＊6 章炳麟「中華民国解」石井剛訳、村田雄二郎責任編集『新編　原典中国近代思想史　第三巻　民族と国家——辛亥革命』岩波書店、二〇一〇年、三一〇—三二八頁。

＊7 内藤湖南「新支那論」『内藤湖南全集』第五巻、筑摩書房、一九七二年、五〇八—五〇九頁。

＊8 増淵龍夫『歴史家の同時代的考察について』（岩波書店、一九八三年）は内藤湖南のこうした思想を厳しく批判する。なお、内藤湖南の文化中心移動説と増淵龍夫のそれに対する批判については、かつて論じたことがある。石井刚《反思日本现代〝中国认识〟与历史的〝内在理解〟》,《开放时代》2019年第1期，pp.138-149。

*9 章炳麟「国家論」西順蔵・近藤邦康編訳『章炳麟集』岩波書店、一九九〇年、三四〇頁。

*10 以上、中国語使用人口に関しては、下記を参照。“What is the most spoken language?” in *Ethnologue: Languages of the World*, https://www.ethnologue.com/guides/most-spoken-languages, 二〇一九年十一月十七日閲覧。なお、同サイトの別の統計では上海語だけで八〇〇〇万人いるとされる。詳細は“What are the top 200 most spoken languages?”, https://www.ethnologue.com/guides/ethnologue200, 同日閲覧。

*11 国連の集計データを公開するウェブサイトUNdata（http://data.un.org/Default.aspx）で検索することができる。

*12 総務省統計局『平成二七年国勢調査　我が国人口・世帯の概観』一五〇頁。

*13 日本でのサイノフォーン研究としては山口守がまず挙げられる。山口守「中国文学の本質主義を超えて——漢語文学・華語語系文学の可能性」『中国　社会と文化』第三〇号、二〇一五年、一八—四四頁、ほか。

*14 Shu-mei Shih, Chien-hsin Tsai, Brian Bernards ed., *Sinophone Studies: A Critical Reader*, New York: Columbia University Press, 2013, pp.1-16.

*15 David Der-wei Wang, “Post-Loyalism”, Shu-mei Shih, Chien-hsin Tsai, Brian Bernards ed., *Sinophone Studies: A Critical Reader*, New York: Columbia University Press, 2013, pp.93-116.

*16 章炳麟『斉物論釈』第五葉、章炳麟『章氏叢書』、浙江図書館1919年校刊。

プロフィール

石井剛（いしい・つよし）

一九六八年生まれ。東京大学大学院人文社会系研究科博士課程修了。博士（文学）。東京大学大学院総合文化研究科地域文化研究専攻教授。主な著書に、『ことばを紡ぐための哲学』（中島隆博との共編著、白水社、二〇一九年）、『斉物的哲学』（華東師範大学出版社、二〇一六年）、『戴震と中国近代哲学』（知泉書館、二〇一四年）など。

読書案内

▼濱田麻矢、薛化元、梅家玲、唐顥芸編『漂泊の叙事――一九四〇年代東アジアにおける分裂と接触』勉誠出版、二〇一五年

▽一九四〇年代の中華世界を分裂と漂泊の時代として二〇名の著者が中国語圏のみならず日本、東南アジア、アメリカなどの視点から多角的に描く。サイノフォーン世界の複雑な現実に日本のアジア侵略が深く関与していたことはしっかり記憶されるべきである。

▼温又柔『台湾生まれ　日本語育ち』、白水社、二〇一八年

▽台湾出身で日本で育った作家による自伝的エッセイ。舌足らずの中国語と流暢な日本語が自分の声のなかで溶け合った瞬間の「これがわたしのコトバだ。いや、このコトバがわたしなのだ」という発見が尊く反響する。

▼ジル・ドゥルーズ、フェリックス・ガタリ『カフカ　マイナー文学のために』宇野邦一訳、法政大学出版局、二〇一七年

▽サイノフォーン・スタディーズの理論をひとつ挙げるなら、当該分野の理論書としては傍流だが、敢えて本書を挙げたい。サイノフォーンを中華世界を超えて普遍的なテーマとして考えるのに、このマイナー文学論は有効な視点になるだろう。新訳で読みやすい。

先住民研究の難しさと喜び

受田宏之

先住民は貧しいのか、豊かなのか

先住民（indigenous peoples）は過去の存在ではない。国際連合によれば、「侵略や植民地化により支配下におかれるという歴史を持ち、独自の言語や慣習、アイデンティティを保持する人びと」は、現在の世界で三億七千万人ほどいるとされる。

彼ら今日の先住民について、どのようなイメージが思い浮かぶだろうか。「貧しい」「悲惨」「隔絶した土地に住む」「迫害されている」といった否定的な先住民像を描く人が多いのではないだろうか。研究者や専門家と呼ばれる人間の間でも、そのような捉え方が多数派かもしれない。たとえば、経済学者や医療関係者が先住民について調べるとすれば、彼らの窮状を測定し、引き上げるための手段を特定化するという方向性になる。

その一方で、「固有の言語を話す」「自分たちの伝統に誇りを持っている」「環境に優しい穏やかな生活を営んでいる」等、先住民に対して肯定的なイメージ、憧れに近い感情を持つ人も増えつつあるようにみえる。先住民の文化や自律を積極的に評価し、彼らの権利を擁護する個人や組織は、人類学者等の研究者から、先住民自身であることも多い活動家、さらにはメディアや国連機関まで幅広い。日本でも、先住民の集団としてのアイデンティティや集団的な権利を強調する場合、先住民族という語が用いられる。

自分のことを話すと、メキシコの先住民の研究を一九九八年から二十年以上続けている。経済学の大学院を出ているものの、メキシコでの「フィールドワーク」、具体的には、首都メキシコ市の不法占拠地に住む先住民移住者や彼らの出身村を訪れて一緒に過ごしたり雑談をする、子どもたちに算数を教える、あるいは彼らを支援するNGOの仕事を手伝ったり、現地の研究者や活動家と議論をしたりすることが、好きな人物である。様々な現場を行き来しながら、異なる利害や考え方を持つ人びとをつなぐ論理や実践を見出そうとしてきた。それゆえに、「先住民は貧しいのか、豊かなのか」という問いに一般論として答えることはできない。誰と話すのか、どのような先住民を想定しているのかによって、答えが変わってくるからである。

以下では、このような曖昧な立ち位置で考えてきたことのいくつかを紹介したい。それを通じて、狭くはメキシコの先住民、広くは開発やマイノリティを研究することの難しさと面白さとを示してみることにする。

メキシコという国のなり立ちと多様化する先住民

先住民は一般に、経済的に貧困下にあるだけでなく、文化的な自由も奪われてきた。それが先住民という概念が世界中で用いられるようになった歴史的な背景をなす。ところが、実際の先住民は多様な人びとであり、多様性は一層高まりつつある。「先住民は近代化のはるか以前にまで遡る個性的な存在である」という想定は、先住民についての典型的なイメージであるだけでなく、先住民の活動家もしばしばそうした言説に訴える。だが、先住民を取り巻く国家の性格こそ、先住民が経済的、文化的にどのような位置を占めるのか、さらには先住民自身による運動の方向性にも、決定的な影響を与える。メキシコという国の特徴は、先住民を同化、統合しようという「テクノクラートのメキシコ」と先住民的なるものを擁護しようとする「多文化主義のメキシコ」が拮抗しているところにある。

「テクノクラートのメキシコ」対「多文化主義のメキシコ」

メキシコは「ラテンアメリカの大国」である。二〇一八年時点で人口は世界第十一位、面積は第十三位、GDPは第十五位である。OECDの加盟国であり、トランプ政権の登場により一部変更を余儀なくされたものの、米・加という北米先進国と自由貿易協定を結んでいる。アステカ帝国により統一されたメソアメリカ文明。アステカ帝国を征服し、三世紀にわたりメキシコを植民地として支配したスペイン。スペインからの独立後、次第に覇権国として振る舞うようになる「北の超大国」米国。これら異なる要素が融合し、独自の進化を遂げてきたのがメキシコであるという正史的な理解がある。

現代メキシコに接近するのに特に重要となるのは、画期としての一九八〇年代である。八〇年代以降、外国からの債務（借金）を返済できなくなるという経済危機を経て、市場競争を重視する新自由主義（neoliberalism）に転換するよう、米国等からの外圧が高まる。そのとき、それをメキシコに必要なものとして受け入れる新たなエリート層が形成されていた。彼らテクノクラート（技術官僚）は、米国の一流大の大学院で経済学の博士号を取得するなど、高度な専門知識を備えたエリートである。市場競争がうまく機能しない領域において能力を発揮するだけでなく、大統領や大臣になる者、あるいは大企業の顧問として活躍する者も多く現れるようになった。

市場経済は貧困の削減を保証しない。このため、子どもの通学などの条件と引き換えに現金を給付する、受給者の選別のための資力調査をする、効果測定のために対照実験を行う等、費用対効果の高い貧困対策も政府によって導入されている。これらの政策転換を担ったテクノクラートや世界銀行の経済学者らによれば、先住民とは「メキシコの最も貧しい人びと」にほかならない。教育や健康状態の改善、就業機会の拡大を通じて、彼らを主流社会に同化・統合させることが課題となる。

ところが、米国を理想化するエリート層が台頭する一方で、メキシコはラテンアメリカで最大級の先住民人口を抱える国でもある。その理由として、植民地化される以前にトウモロコシの栽培を軸とする複雑で生産力の高い諸社会が築かれていたという歴史的な条件もあるが、それ以上に重要な要因として、先住民の文化的、政治的権利を擁護する勢力と言説の存在を挙げることができる。それを、「テクノクラートのメキシコ」に対する「多文化主義のメキシコ」と呼ぶことにする。

メキシコは二〇世紀前半に社会革命を経験した。このため、革命後に制度化された政治体制は、社会正義とナショナリズムの観点から先住民の包摂を図った。政府による先住民政策は、後にその同化主義や官僚主義を批判されるようになるものの、人類学の振興、農地改革（大農園の接収と貧しい農家への再分配）との連携、中央（連邦）政府レベルおよび先住民の集中地域において先住民に関係する諸政策を調整する専門機関を創設したこと等、当時の世界においては斬新な内容を含むものであった。

一九七〇年代からは先住民政策を非難する知識層が登場するようになる。彼らの中には先住民政策の恩恵を受けて高等教育を受けた先住民もいたが、政府はそうした声を部分的に取り込もうとしてきた。

一九九四年には、先住民人口の集中する南部チアパス州において、農民運動の指導者でメキシコ革命の英雄であるサパタの名を冠した武装蜂起が発生した。彼らＥＺＬＮ（サパティスタ民族解放軍）は、農地不足のため高地のジャングル地帯を開拓した貧しい農民と進歩派のカトリック教会（解放の神学）、および都市出身のゲリラ指導者が出会うことで生まれた運動である。「テクノクラートのメキシコ」から忘れ去られたようにみえる人びとによる蜂起は、国内外の多くの人びとの共感を呼ぶ。武力で劣るＥＺＬＮは二週間に満たぬ間に退却を余儀なくされるものの、国家によって掃討されることはなかった。ＥＺＬＮは蜂起の当初は、抵抗の目標に社会主義の実現を掲げていた。だが、次第に新自由主義とそれを推進する国家への批判、先住民の自治、マイノリティ全般の権利擁護へと方針を転換していく。さらに、それらをインターネットやパフォーマンスを通じて外部に訴えると同時に、支持基盤をなすコミュニティでは、国家と資本主義と距離をとる自治を実践している。二〇一九年現在、政党との協力を拒み、またいかなる政府支援も受けない方針を掲げている。

ＥＺＬＮが先住民運動や先住民政策に促した変化は広範におよぶ。様々な形を取る先住民運動が活性化し、また先住民性に対するメキシコ社会の寛容度が高まることになった。蜂起は貧困対策の必要性を政府に認識せしめた一方で、先住民運動の高まりを受けて、先住民政策は多文化主義への志向を強めていく。ＥＺＬＮがラディカルな方針を堅持していることは、一般への影響力を弱めた一方で、国内外にＥＺＬＮを支援する急進左派のネットワークが形成された。さらにチアパスでは、ＥＺＬＮの喚起するイメージが観光資源ともなっている。メキシコ各地、欧米諸国からチアパスを訪れる人びとの多くは、豊かな自然や古くからの歴史と結び付いた先住民文化に触れることを訪問目的のひとつとしている。先住民であることは恥ずかしいことではない、悪いのはテクノクラートら権力者だという新自由主義をひっくり返した明快なメッセージは、「多文化主義のメキシコ」を勢いづけたのである。

このようにメキシコでは、先住民であることに不利に働く社会変容がみられると同時に、資本と国家を否定するラディカルなものから穏健なものまで、先住民性に積極的な価値を見出す集団や理念が力を強めている。このような社会における先住民は多様であらざるを得ない。

先住民の多様性

自らの支援プログラムの成果を証明しないといけない政府機関やNGO、あるいは先住民の権利を擁護する活動家にとって、特定の人口を先住民と非先住民とにきっぱりと分けることができると便利である。しかし、今日のメキシコのような社会において、先住民性とは0（非先住民）か1（先住民）の値をとるものではない。連続的で多次元にわたり、さらに先住民自身により選択、操作する余地のあるものである。

メキシコで主に用いられてきた先住民の定義は「何らかの先住民言語を話す」というものである。二〇一五年には、五歳以上の人口の六・六％を占める七一七万三五三四人が何らかの先住民言語を話した。一九三〇年における先住民人口の比率は一六・〇％であり、言語でみた先住民の比率は下がる趨勢にある。それでも、近年では比率の減少幅は下がっており、絶対数でみたらいまも先住民言語の話者人口は増え続けている。若い世代のほぼすべてがスペイン語も話すようになっている現在、先住民言語がどれだけ次世代に受け継がれるのかは、六十前後あるとされる各々の先住民言語の話者数や都市への近接度に左右される。

近年では、統計調査において、「自らを先住民とみなすか否か」というアイデンティティについての質問もなされるようになった。具体的な文言により違いがでるのだが、それらの調査の興味深い結果として、「先住民言語を話すのに自らを先住民とみなさない」、逆に「先住民言語を話さないのに自らを先住民とみなす」という、言語とアイデンティティが一致しない人びとが、かなりの割合を占めることがある。

これらのデータは先住民内の分化と多文化主義を反映している。先住民言語の話者数が多く、先住民コミュニティと従来からみなされてきたところでも、職業（主な職業が農業以外の人びとの増加）、政府とのかかわり（学校教員や役人とそうでない人たち）、出稼ぎ者や移住者の比率は、世帯間で顕著な違いがみられる。また、先住民は自らの社会的な位置付けに敏感になり、権利意識を高めている。自らに不利に働くだろう政策や調査については否定的に、有利に働くだろうものについては肯定的に対応するというふうに、先住民が言動を使い分けることは現場を知る研究者の共通了解となっている。

私の調査した先住民移住者の例を挙げてみたい。彼らは、首都からバスで四時間の位置にあり住民のほとんどがオトミー語という先住民言語を話す村の出身者かその子孫で、ある中産階級の居住区の空地や廃屋を違法に占拠し、同郷者と一緒に住む人たちである。様々な先住民がメキシコ市に移住する中、私が彼らを選んだのは、不法占拠地に住む、露店商などインフォーマルな経済活動に従事する、さらには児童労働や薬物摂取、アルコール依存など彼らの「目立つ」特徴からであった。二十年前に調査を始めたときは、彼らの貧困に衝撃を受け、また調査されることへの彼らの抵抗に自己嫌悪に陥ると同時に、先住民への支援を試みる組織や学生、活動家の数に驚いた。だが長く付き合うにつれて、彼らは受動的で孤立した存在ではなく、タフで個性溢れる人びとであることが理解できるようになった。

二十年の間に多くの変化がみられた。地区内に四つあった占拠地は九つに、合計の世帯数も二百世帯以上と倍以上に増えている。うち二つの占拠地では政府の補助を受ける集合住宅が建設された一方で、強制的に撤去されるリスクや隣人との摩擦に直面する占拠地もある。社会運動組織や政府機関へのアクセスのよいリーダーとその周辺の家族と、そうでない家族の間には緊張関係がある。リーダーの子弟ら大学教育を受けた若い世代が現れるようになった一方で、小学校や中学校未修了という低い教育水準の再生産される家族も多くある。さらに、宗教についても、カトリックの信者しかいない占拠地もあれば、かなりの家族が福音派のプロテスタントに改宗している占拠地もある。

このように、農村でも都市でも先住民は多様であり、コミュニティの中で調和が保たれているわけでもない。「多文化主義のメキシコ」にむしろ属する専門家や組織が、先住民の分化や葛藤をもたらすことも多い。このような状況において求められる知のあり様とはどのようなものだろうか。

先住民問題の複雑さ、つなぐ論理と実践の重要性

先住民が多様であること、先住民について異なる見方のあることは、自由の証でもあり、悪いことではない。では、そうした事情を考慮した上で、先住民を取り巻く状況をいかに評価し、改善に向けた提案ができるだろうか。これは、複数のモデルがどうすれば互いに共存できるのかという知と実践をめぐる問いである。

「マイノリティにとって最善の道は市場競争と同化にある」という立場によれば、先住民の幸福は所得や教育、健康等の一般的な指標により測ることができるのであり、格差は徐々に縮まってきたものの、依然として先住民は非先住民よりも遅れた生活を送っていることになる。これに対し、EZLNが自らのカリキュラムに従った小中学校を運営しているように、「先住民の自治」を優先する立場に従えば、先住民の言語やアイデンティティ、政治的自立、自然環境との調和などが、重視されるべき評価軸となる。

これらの立場は、経済発展（同化）か独自性の承認（自治）かの二者択一を迫るものであり、先住民の選択肢を限定しているところがある。このため、国連機関や多くの識者は、先住民性も尊重した経済発展が望ましいと説く。だが、先住民のように歴史的に疎外され、不利な立場におかれてきた人びとの場合、経済的な発展と独自性の尊重が両立しにくいことが問題を難しくしている。崇高な理念を並べ立てたり、援助資源を投入するだけでは、状況の改善にはつながらない。

研究者の間では、先住民と非先住民の間の社会経済状況の格差は、居住地域の周縁度を表した変数の効果を差し引くとかなり縮まることが知られている。都市から離れインフラの整備も遅れた地域に住むことなどによって説明できる格差は、「個々の先住民集団の抱える歴史的な不利」とみなすことができる。問題はそこからどのような含意を導くかである。同化論者に従えば、望ましいのは移住の促進であり、周縁的な村落の自然消滅となる。そうすれば格差の相当部分は消えることになる。だが、日本の過疎地不要論を思い起こさせるこうした議論は、先住民の文化的自由を無視しているだけでなく、先住民が同化により得られる経済的機会を過大に見積もってもいる。少なからぬ先住民移住者が不法占拠地に同郷者と一緒に住む理由のひとつは、都市への統合を優先したところで得られる便益が魅力的でないことにある。

逆に、多文化主義者が周縁地域への支援増を説くとしても、遠隔地で農地も狭く、農業には不向きなことも多いコミュニティにどこまで公的資源が注がれるべきなのだろうか。「歴史的不利」を解消するまで資源を入れるとすれば、政府やNGOあるいは国際機関の能力を超える膨大な額にのぼるだろう。また、対象となるコミュニティへの理解が乏しかったり、支援者間での連携が取れていなければ、支援プロジェクトが期待された成果を収める見込みは乏しい。先住民のための多文化主義的な政策の中でその実態が繰り返し批判されてきた例に、二言語・多文化教育がある。先住民集中地域の幼稚園と小学校では各地域の先住民言語と歴史が教えられる建前になっている。ところが、現実にはそのための教科書や副読本が作成され、先住民言語を話せる教員が雇われるにとどまっていて、話者の減りつつある先住民言語の復興にも「正確な」スペイン語の習得にも役立ってはいない。質の欠如は、学校の教員、教員組合、言語学者等の専門家、先住民のリーダー層、子どもたちの親など、知識と利害の異なる関係者の間で信頼と調整が存在しないことに起因するところが大きい。

ここで勧めたいのは、異なるモデルをつなぐ知と場の創出である。これまでみたように、現代の先住民は多様な存在であり、ひとつの普遍的なモデルに収斂されるものではない。「二つのメキシコ」をつなぐこと、すなわち、多様なモデルのそれぞれの良さを把握し、異なるモデルの間に矛盾があり得ることに自覚的でありつつ、先住民にかかわる様々な場——先住民の住む村、移住先、彼らの働く路上や農地・工房、小中学校、大学、政府機関やNGO、国際機関など——の間を自由に行き来できるような人間が求められている。複数の学問分野や言語、歴史を学び、背景の異なる人たちの間での対話を促すことは、労が多いばかりで益が少なくみえるかもしれない。しかし、威勢はいいが表層的で中身のない言説、洗練されてはいるが応用の利かない分析をよくみてきた者として、そうした人間がいて然るべきだと思う。

いま取り組んでいることのひとつに、都市の先住民自身が望む二言語・多文化教育とはどのようなものなのかを、先住民自身の語りや自主ビデオの作成も含む様々なデータを集めながら探ることがある。メキシコ市のある小学校での試験的な「二言語教育」の頓挫、および先住民児童への総合的な支援で評価の高かったNGOの衰退をみて、危機感を抱いた。さらには、オトミー語の復興に生涯を捧げてきた恩師の言語学者に報いるため、友人の歴史言語学者と共同で、オトミー移住者の住む不法占拠地のひとつで焦らずに作業を進めている。オトミー移住者はもちろん、他の先住民や活動家にもヒントとなるようなものになることを祈っている。

先住民研究の喜び

日本からはるか遠くの都市先住民の研究を続けるなど、我ながら変わった、マニアックなことをやってきたと思うことがある。だが、そうすることで人間の多様な可能性、さらには異なる学問分野が協力し合うことの意義もみえてきた。また、開かれた姿勢は、先住民をはじめマイノリティとされる人びとにとっても、悪いことではないと思われる。

プロフィール

受田宏之（うけだ・ひろゆき）

東京大学大学院総合文化研究科教授。博士（経済学）。専門は開発学、ラテンアメリカ経済論。著書に、『開発援助がつくる社会生活　第2版――現場からのプロジェクト診断』（共編著、大学教育出版、二〇一七年）など。

読書案内

▼ミルトン・フリードマン『資本主義と自由』村井章子訳、日経BPクラシックス、二〇〇八年

▽原著は一九六二年の出版。新自由主義の古典。市場による解決を説くマイノリティ論も含まれている。

▼国連開発計画『人間開発報告書２００４』、国際協力出版会、二〇〇四年

▽文化的自由と先住民について、バランスの取れた考察を資料と合わせて提供している。

▼マルコス、イボン・ル・ボ『サパティスタの夢――たくさんの世界から成る世界を求めて』佐々木真一訳、現代企画室、二〇〇五年

▽メキシコのEZLN（サパティスタ民族解放軍）の副司令官マルコスに、フランスの社会学者がインタビューを行い、考察を加えている。

▼受田宏之「測り過ぎ、闘い過ぎ：メインストリームとラディカリズムの狭間でみたメキシコ」（『東洋文化』）東京大学東洋文化研究所、二〇二〇年

▽本章の議論をより詳しく展開している。

言葉の力と科学の力
――『フランケンシュタイン』二百周年に考えること

アルヴィ宮本なほ子

十八歳の文学的想像力と二十一歳の科学的創造力

二十一世紀の現在、「フランケンシュタイン（Frankenstein）」という言葉は、さまざまな生物の断片を繋ぎわあわせて造られた人造人間、あるいは、科学が創り出した恐ろしい「怪物」というイメージを連想させることが多い。「フランケンシュタイン」が、約二百年前に十代の若い女性が最初に書いた小説『フランケンシュタイン――あるいは現代のプロメテウス』の主人公の青年の名前であることを知っている人は、それほど多くないかもしれない。一八一八年に匿名で出版されたこの作品は、一八三一年の第三版で初めて著者メアリ・シェリー（一七九七―一八五一）の名前が記され、「序文」によって、一八一六年六月にスイスのレマン湖畔のバイロンの別荘（ディオダーディ荘）でこの作品の構想が生まれたことが明らかにされた。

ヨーロッパでは「夏のない年」として記憶されている一八一六年の異常気象は、前年のタンボラ火山（インドネシア）の大噴火との関係が指摘されているが、冬に暖炉のそばで「幽霊譚（ゴースト・ストーリー）」を聞く慣習のあるイギリス人たちにとって、氷雨に降り籠められた無聊を慰めるために「幽霊譚」をすることは突飛なことではなかった。バイロンは、詩人のパーシィ・ビッシュ・シェリーとのちにパーシィの妻となるメアリ・ゴドウィン、侍医のジョン・ポリドリに「幽霊譚を書こう」と提案をする。幾晩も考え続けたメアリは、ある夜、「真夜中もとうに過ぎるまで」バイロンとシェリーが生命原理について語り合うのを聞いたのち、ベッドで眠れぬままに鮮烈な幻想を見る。「神に許されぬ技を用いる白皙の学生が、自分が接合したもののそばに跪いており」、人間の形をしたものが「生命の兆候を示す」。メアリは思う。「人間がこの世界の創造主の驚嘆すべき技巧をまねしてみようとするとは、なんと恐ろしいことか」と。そのものが目を開き、自分を創造した学生を見たところで、メアリは恐怖で自分の目を見開き、寝室の鎧戸から「月光がもれている」のを見て、窓の向こうには「鏡のような湖と白銀のアルプス」があるのだと感じた。[*1]

『フランケンシュタイン——あるいは現代のプロメテウス』の出版以来、「フランケンシュタイン」は、理系・文系の枠にとらわれず、多くの人の関心を惹きつけてきた。二〇一〇年夏、テキサス州立大学の天文学の研究者のチームが、現存するディオダーディ荘が建っている場所の地形、メアリ・シェリーの寝室の窓の入射角などを詳細に検討して、メアリが小説の萌芽となった夢を見たのは、一八一六年六月十六日の午前二時から三時のあいだと推定した。[*2] メアリの回想が、のちに著者がつけ加えた作り話ではなかったことを裏づける証拠のひとつが現代の天文学者から示されたのである。このとき、メアリ・ゴドウィンはまだ十八歳であった。

十八世紀末から一八二〇年代半ばぐらいまでに花開いたイギリス・ロマン主義文学の大きな特徴として、若さの情熱と新しい芸術の創造を可能にする精神の中から湧き上がる想像力がある。メアリ・シェリーは、このイギリス・ロマン派的な特徴を存分に発揮して、科学の発達によって人が人以上の存在になりうる可能性が少しだけ見え始めた時代に、神の領域を侵犯した青年とその被造物の物語を書いた。メアリ・シェリーの小説では、「フランケンシュタイン」はジュネーヴ生まれの学生であり、二十一歳のときに、留学先のインゴルシュタット大学で生命体を人工的に創り出す。彼は、墓場から集めた人間のさまざまな部分を継ぎ合わせ八フィートの人間の形をしたものに生命を与えた瞬間、その醜さに恐れ慄き、自分が創り出した人造の生命体に名前を与えることもせずに放置した。生を得た名のない「彼」――三人称単数の代名詞から男性であることがわかる――は、独学で学び、外面の醜さから出会う人間たちに迫害され続ける自分と「人間」との違いに懊悩(おうのう)し、二年後、フランケンシュタインに創造主の責任を問う。

英語で「科学者(scientist)」という単語が作られたのは一八三四年である。[*3] イギリス・ロマン主義の時代には、のちに理系の「科学」として独立する諸分野が急速に発展していく一方で、「科学」はまだ「自然哲学」の一部であり、自然のさまざまな現象を研究対象とする人々は、「自然哲学者(natural philosopher)」、あるいは、研究対象は物理的自然であっても、対象を広く諸分野の中に位置づけることができる「man of science」であった。遺伝子工学などの生命科学の最先端の分野の成立はまだはるか先のことであったこの時代に、メアリ・シェリーは、科学の進歩の先に「人は生命の創造の領域に関わってよいのか」、「人を人たらしめるのは何か」という問題を見据えていたのである。

独創的な科学者、独創的な文学者

二〇一八年にノーベル生理学・医学賞をジェームズ・P・アリソンと共同受賞した本庶佑は、若い人へのメッセージとして、時代を変革するような研究をする独創的な科学者に必要な六つの資質——英語だとすべてCで始まる単語となるcuriosity, courage, challenge, confidence, concentration, continuation——をあげ、最も大切な三つは“curiosity, challenge, continuation”であると述べている。[4]本庶は、研究は「好奇心」(curiosity)からスタートし、真に独創的な研究は「おそらくその研究が二十年経ってもまだ引用されるかどうかによって決まる」と言う。凄まじいスピードで進む現代科学の諸分野での二十年は大変長い時間である。しかし、人間精神の中には科学と異なるスピードで進む部分もある。人間は、精神のその部分で、時代や場所が変わっても同じ問題を繰り返し考え続けている。真に独創的な文学作品が、その作品が書かれた時代を越えて読み継がれていくのはそのためである。一八一八年の出版以来、『フランケンシュタイン』は多くの言語に翻訳され、読まれる時代や場所によって新たな側面を見せ続け、二百年を経たいまも注目を集めている。

この作品の独創性は、小説のタイトルで、主要登場人物ヴィクター・フランケンシュタインが「現代のプロメテウス」という二つ名を与えられていることに端的に現れている。ギリシア神話のプロメテウスは、天上の火(=文明の火)を人間のために盗んだタイタン(巨神族)である。では、「現代の」プロメテウスとはどのような人物だろうか。一七五五年のリスボン大地震の翌年、カントは、「自然哲学者」として地震のメカニズムについて三つの論考を発表し、その一篇[5]で、ベンジャミン・フランクリンを「現代のプロメテウス」と呼んでいる。政治家、外交官としても有名なフランクリンは、地震の原因の研究や気候変化と火山活動を結びつけた研究もしているのだが、稲妻が電気放電であることを証明した一七五二年の凧の実験によって世界で最も有名な科学者(自然哲学者)となった。「現代のプロメテウス」とは、天上の火を手にした神話のプロメテウスを現代に甦らせたような科学者を指す言葉となった。

『フランケンシュタイン』の初版（一八一八）では、稲妻が巨木を粉砕するのを目撃して衝撃を受けた十五歳のヴィクター・フランケンシュタインに、父が自然の驚異的な力を「電気」と説明し、フランクリンの凧の実験と同じ実験を息子に見せるエピソードがある（vol. 1, ch. 1, p. 24）。[*6] 十八世紀後半は、「電気」に自然哲学者たちの大きな関心が集まり、「現代のプロメテウス」たちが電気の解明に力を注いだ。ルイジ・ガルヴァーニはカエルの脚を用いた「カエルの実験」で動物体内の電気発生について研究し、文学への深い関心から自然探求へ進んだアレッサンドロ・ヴォルタは一七九九年に電池を発明した。イギリスでは、ハンフリー・ディヴィがヴォルタの研究をさらに進め、アルカリ金属の単離に成功した。のちに「ろうそくの科学」で有名になるファラデーがディヴィの実験室の助手となるのは一八一三年である。十九世紀は、「現代のプロメテウス」の世紀として幕を開けたのであった。

このような時代背景の中、「現代のプロメテウス」フランケンシュタインを主要登場人物としたメアリ・シェリーの独創性はどこにあるのだろうか。本稿では、メアリ・シェリーが、科学者の栄光や科学的大発見のすばらしさだけを描くのではなく、人間（human）とは何か、人間的である（humane）とはどういうことかを、生命の創造という神の領域に手を伸ばした「現代のプロメテウス」と「現代のプロメテウス」が創造した被造物の苦しみを書くことによって示したことにあると考える。「人間」が、人間と同じ形をした生命を人工的に造るとはどういうことか。「人間的」な資質とは何か。フランクリンを「現代のプロメテウス」と呼んだ「自然哲学者」カントは、哲学的な考察も展開し、「現代のプロメテウス」たちが「知的好奇心を暴走」させ、「人間以上になること」への警鐘も鳴らしている（373. 註5を参照）。メアリ・シェリーは、カントの警鐘を受け継ぎ、「現代のプロメテウス」の科学的大発見の横に、ギリシア神話、聖書の人類創生の神話を置き、英語のhuman(e)、creatureという言葉の意味を小説の中で追求することによって、生命倫理の問題を提示した。humaneは形容詞としての意味は、まず「人道にかなった」、「慈悲深い」である。「研究／学問分野（studies）」の前に置かれるような場合は、「人文教養的な」という意味になり、humane studiesは、「人文科学」という意味になる。creatureは、生物（とくに動物）、人、（生物、無生物にかかわらず）被造物、あるいは架空のものまで広い範囲のものを指す言葉である。『フランケンシュタイン』の科学者は「人間以上」の英雄なのか。人間が創造した人間の姿をして人間の言葉を操る生命体は何なのか。メアリ・シェリーは、この問題をどのようなやり方で読者に伝えようとしているのか。

『フランケンシュタイン』の三人の語り手

『フランケンシュタイン』は、複雑な入れ子構造の語りの技法が使われている。この作品は、十八世紀末、磁力の解明や北西航路の発見を目指す北極海調査探検船を率いるイギリス人の二十八歳の船長ロバート・ウォルトンが航海の途上で書いた四通の手紙という形をとり、ウォルトンが一七XX年の十二月十一日から翌年の九月五日まで北海の洋上で体験したことが報告されている。最初の二通で、ウォルトンは、「人跡未踏の地」を「好奇心（curiosity）」をもって調査し、人類のために科学的な大発見をすることを夢見ると同時に、調査探検船の長として自分が不十分であることを自覚し、独学で得た専門的知識の不足や語学力の欠如、性急な性格などの自分の欠点を補って導いてくれる「友人」を切望していることを告白している（vol. 1, Letter 1, pp. 6-7; Letter 2, pp. 8-9）。

四通目の手紙では、八月一日に氷海で遭難しかけていた英語を母語としないヨーロッパ人を助けたことが記されている。ウォルトンは、その男の高貴な精神や深い教養に惹かれて友人になりたいと思い、心を尽くして看病する。頑なに沈黙を守る男は心を開き、大きな科学的発見と栄光を望んだ昔の自分と同じ野心をもつウォルトンに、「自分の身に起こった不幸の数々」がウォルトンにとって「有益であるように」と自分の秘密を語ることにする（vol. 1, Letter 4, p. 17）。

二人目の語り手――その語りの中で彼の名がヴィクター・フランケンシュタインであることが判明する――が語ったことをウォルトンが英語で纏めた部分が『フランケンシュタイン』の主要部分である。フランケンシュタインは、インゴルシュタット大学で独りで生命の研究を進め、墓場から人体のさまざまな部分を集め新しい人間を創る。均整のとれた美しい身体を設計したにもかかわらず、それは、生命の火が吹き込まれたとき、その容貌も巨大な体も恐ろしく醜いものになってしまった。名前さえつけられずに捨てられた「被造物（Creature）」（今後は「クリーチャー」と表記する）は、二年後、アルプス山中でふたたびフランケンシュタインに邂逅する。醜さゆえに人々から忌避され独り放浪を続けた「クリーチャー」がこの作品の三人目の語り手となる。

フランケンシュタインの語りの中に、「クリーチャー」の語りが埋め込まれるのであるが、「クリーチャー」の外見をフランケンシュタインの言葉を通してのみ知っていた読者は、「怪物」と罵られる「クリーチャー」のイメージを、彼の言葉を聞いて修正することになる。身体能力ではるかに人間を凌駕する「クリーチャー」は、力に訴えるのではなく、人の心を動かす言葉を駆使して、フランケンシュタインとの対話を試みるからだ。放浪の途上で、「クリーチャー」は、ド・ラセー家の盲目の老人に目が見えないがゆえに彼の内なる善良さを認められるという体験をしている（vol. 2. ch. 7）。フランケンシュタインの目を自分の手で覆い、自分の苦境を言葉によってフランケンシュタインの心に訴えようとする「クリーチャー」に、フランケンシュタインは「好奇心」と「同情（compassion）」を感じて彼の話を聞くことにする。compassionとは、苦境にある不幸な者の苦しみを和らげたいと思う気持を意味する英語である。この言葉は、「好奇心」とともに『フランケンシュタイン』のキーワードとなる。

「クリーチャー」の精神的成長にも「好奇心」と「同情」は重要であった。彼は、故郷を追われたド・ラセー家の暮らしを遠くから観察しながら、秘かに彼らの苦境を助け、会話を盗み聞いてフランス語を覚え、本を読む。メアリ・シェリーが彼に読ませているのは、ヴォルネーの『廃墟——諸帝国の変革についての一考察』、プルタルコスの『対比列伝』、ゲーテの『若きウェルテルの悩み』、ミルトンの『楽園喪失』である。彼の読書体験は、自分と世界との関係を認識し、人間とは何か、自分は誰かという問題を問う力を身に着けてゆく（人間の）精神の成長の過程を示している。「クリーチャー」は、フランケンシュタインが「生命を弄ぶ」ことを非難し、創造主が被造物に対する「義務」を果たし、「同情」を与えるように願う（vol. 2, ch. 2, pp. 77-78）。フランケンシュタインは、伴侶を造ってくれれば二度と人類の前に現れないという「クリーチャー」の要求を一度は受け入れる。だが、女性の被造物を完成直前で破壊し、「クリーチャー」はフランケンシュタインの婚約者を惨殺して復讐する。

「クリーチャー」を殺す決意をしたフランケンシュタインは、彼を北極まで追ったところでウォルトンの船に救助される。フランケンシュタインの物語に「血が凍るよう」な恐怖を感じたウォルトンは（vol. 3, ch. 7, p. 178）、それにもかかわらず、フランケンシュタインの最期の願いである「クリーチャー」の殺害を実行しない選択をする。ウォルトンは、船に侵入しフランケンシュタインの死を嘆く

「クリーチャー」に、凄まじい恐怖を覚えながらも、「好奇心」と「同情」から話しかける。「クリーチャー」にとって、これは目の見える人間から話しかけられた最初で最後の体験となる。ウォルトンの手記は「クリーチャー」が北の海に姿を消したところで終わり、『フランケンシュタイン』は読者にこの続きを想像させる開いたかたちで終わるのである。

メアリ・シェリーの戦略

フランケンシュタインと「クリーチャー」の両方の語りを聞く科学者ウォルトンは、この物語を読む読者の立場を代表している。なぜ、ウォルトンは、「クリーチャー」の恐ろしい外見に竦(すく)みながらも、彼に話かけることができたのか。「クリーチャー」の読書体験と同様に、ウォルトンもまた、二人の人生の物語を聞くこと（読むこと）によって、世界への新たな認識を得て成長したからだ。女性がまだ高等教育を受けることができなかった時代に生きた早熟な天才メアリ・シェリーもまた、読書によって、また、父ウィリアム・ゴドウィンや夫となるパーシィ・ビッシュ・シェリーや彼の友人たちの知的な議論を聞くことによって、生をより深く考え、世界をより深く認識し、現実の世界への疑問をもった。

読むことを通してそのような体験ができるように、メアリ・シェリーはこの小説にいくつもの仕掛けを施した。読者が三人の語り手の物語を読む／聞くなかで敏感に気づくのは、いくつもの異なる意味で使われるcreatureという言葉であろう。*Oxford English Dictionary*によれば、“creature”[*7]の第一の意味は、creator（創造主）と対になる「創造されたもの」である。第二の意味は「人間（A human being）」

である。また、ロマン主義に時代に使われ始めた用法として、どういうタイプの人かを形容詞などを伴って示す場合がある。第三の意味として、（人間とは区別して）「生き物、動物」を指す。ここからさらに意味が拡大されて、想像上の不思議な生き物、怖い生き物に使われることも現在では多い。

メアリ・シェリーは、フランケンシュタインが創造した“Creature”、人間を指す“creature”、動物を指す“creature”に共通する部分をウォルトンも含む読者に印象づけるようなやり方でcreatureという単語を多用している。フランケンシュタインは自分が創った「クリーチャー」から「創造主」と呼びかけられるが、『フランケンシュタイン』の登場人物たちはすべて神の被造物である。フランケンシュタインの両親は子どもたちを自分たちの「被造物（creatures）」と言い、フランケンシュタインは、幼い頃から兄妹のように育った愛する婚約者エリザベス・ラヴェンツァを「夏の蜻蛉」や「小鳥」に喩え、「最も華奢な被造物（creature）」と言う（vol. 1, ch. 1, p. 20）。人も虫も小鳥も創造主が創った「同胞」（fellow creature）[*8]という共通性をもつなら、フランケンシュタインが創った「クリーチャー」も「同胞」ではないのか。

『フランケンシュタイン』の三人の語り手は、「人間とは何か」という問いをその人生によって示す。最終部で二十五歳となっているフランケンシュタインにとって、「クリーチャー」は人間以上の力をもつおぞましい「怪物」であるが、生命を創ることも破壊することも辞さない彼自身も、カントが危惧した人間以上の「現代のプロメテウス」である。フランケンシュタインと同様に、本庶の提唱した独創的な科学者になる資質、とりわけ大事な三つのCをもっていたウォルトンは、凄まじいスピードで進む科学の力を「人間的」に使いこなすための言葉の力を「現代のプロメテウス」とその被造物の語りから学び、「現代のプロメテウス」の栄光を捨て北極探検を中止し、「同胞」の命を優先する。フランケンシュタインが保ち続けられなかったcompassionを船員たちに向け、さらに「クリーチャー」にも差し伸べるのである。

メアリ・シェリーは、『フランケンシュタイン』で、「人間」を創り上げる教育としての読書の重要性を示した。「クリーチャー」の読書体験は、彼を人間的（humane）にした。ウォルトンは二人の物語を聞き、記録する過程で自己と世界に深く向き合い、「同情（compassion）」を人間にも人間でないかもしれないものへも差し向けた。人間存在の根源的な問題は、この小説の結末では解決されない。ウォルトンはイギリスに帰還したか不明だし、「クリーチャー」は暗い海に消える。「クリーチャー」は「人間」だろうか。「クリーチャー」に生命を与えた科学者はその生命とどのような関係を結ぶべきか。「クリーチャー」の声を人はいかに聞きとることができるか。メアリ・シェリーが言葉を尽くして読者に読ませようとしたことは何か。テクストに書かれたこと、書かれなかったことを考えながら、登場人物たちの内面や著者の内面を想像しながら言葉を追うことこそ、読者を新たな世界認識へと誘う文学作品に、読者が応えるためにすることである。『フランケンシュタイン』の真の主人公は、そのような読書体験をして前に進む読者なのである。

註

＊1　本稿では、一八一八年の初版に依拠し、マリリン・バトラーが編集した*Frankenstein or The Modern Prometheus: The 1818 Text* (Oxford World's Classics, 1994)を用いる。一八三一年の第三版の「序文」は、"Appendix A" (pp.192-97)として収録されている。引用部分はp. 196。訳文は筆者による。

*2 Texas State University. "Frankenstein's Moon: Astronomers Vindicate Account of Masterwork." *Science Daily*. 27 September 2011. https://www.sciencedaily.com/releases/2011/09/110927095614.htm.

*3 英語の単語を歴史の中で現れた順番に記載している*Oxford English Dictionary*では、scientist の初出は一八三四年である。メアリ・シェリーの『フランケンシュタイン』は、十八世紀末を舞台としているが、主人公は次の時代の「科学者」のイメージを先取りしているので、本稿では、年代的には少し早いが、作品に登場する自然哲学の研究者たちを「科学者」と表記する。

*4 本庶佑「独創的な研究への近道：オンリーワンを目指せ」京都大学大学院医学研究科　免疫ゲノム医学ホームページ　http://www2.mfour.med.kyoto-u.ac.jp/essay02.html

*5 Immanuel Kant, "Continued observations on the earthquakes that have been experienced for some time," *Natural Science* (Eric Watkins ed., Cambridge UP, 2012), pp. 365-373.

*6 このエピソードは第三版（一八三一）からは削除されている。ロマン主義の時代にまだ十代だった著者が書いた初版と十年以上たって修正された三版では、このエピソードの削除も含めて、いくつもの重要な違いがある。『フランケンシュタイン』の邦訳は第三版を使っているが、本稿では、一八一八年の初版に依拠し、必要に応じて、巻数、章、ページ数を本文中に丸括弧に入れて示す。

*7 "creature, n." *OED Online*, Oxford UP, September 2019. https://www.oed.com/view/Entry/44082.

*8 "fellow creature, n." *OED Online*, Oxford UP, September 2019. https://www.oed.com/view/Entry/69100.

プロフィール

アルヴィ宮本なほ子（アルヴィみやもと・なほこ）

一九六一年生まれ。トロント大学英文学部博士課程修了（Ph.D in English）。東京大学大学院総合文化研究科地域文化研究専攻教授。専門分野はイギリス・ロマン主義文学。主要業績に*Strange Truths in Undiscovered Lands: Shelley's Poetic Development and Romantic Geography* (University of Toronto Press, 2009)、『対訳　シェリー詩集』（岩波文庫、二〇一三年）がある。

読書案内

▼Mary Shelley, *Frankenstein or The Modern Prometheus: The 1818 Text*. Ed. Marilyn Butler (Oxford World's Classics, 1994)

▽メアリ・シェリーがまだ十代だったときに書いた『フランケンシュタイン』の初版。一八三一年に出版された第三版は小説としての完成度は高くなっており、邦訳も第三版に基づくが、初版にあったエピソードの削除や登場人物の出自などについて変更があり、著者が最初に書いた初版を読むことを薦める。

▼廣野由美子『批評理論入門――「フランケンシュタイン」解剖講義』中央公論新社（中公新書）、二〇〇五年

▽小説を深く読み、分析するとはどういうことかを『フランケンシュタイン』を題材として示したとても優れた文学批評入門書。

▼伴名練「フランケンシュタイン三原則、あるいは屍者の簒奪」『伊藤計劃トリビュート』早川書房編集部編、早川書房（ハヤカワ文庫）、二〇一五年

▽『フランケンシュタイン』の続きを描いた作品は多いが、この作品では、語り手が最初にそれと対面するとき、その片方の目を見て「生きているのか」と話しかける。二人の絡み合った運命の物語の展開もすばらしいが、この出会いから始まる長きにわたる二人の生の交錯の抒情性が出色。メアリ・シェリーの作品では、フランケンシュタインは、それの片目が開き、生命の兆候が現れると恐怖のあまり逃げ出してしまった。ウォルトンとクリーチャーの会話は一度だけの短いものであった。

なぜ「ユダヤ人は金持ちだ」と言われるのか

鶴見太郎

ユダヤ人のイメージ

ユダヤ人は日本にほとんど暮らしていないが、ユダヤ人のイメージはそれなりに共有されている。例えば、ホロコーストに代表されるような迫害を繰り返し受けてきた人々というイメージもあれば、アインシュタインに代表されるように頭のよい人々というイメージもあるだろう。

それと並んで、とくにビジネスの世界で多く共有されているのは、お金持ちが多いというイメージだろう。本稿はその真偽については、あとで多少触れるものの、あまり議論しない。お金持ちのユダヤ人もいるし、貧しいユダヤ人もいるというのが実態だ。

もちろん、抜群にお金持ちな人がユダヤ人のなかにつねにいるのは事実だ。だが、その実態以上にユダヤ人が全体としてお金持ちであるかのようなイメージが先行している。世界にさまざまな人々がいるなかで、このようなイメージを広くもたれる人々というのは少ない。それはなぜなのか。

この問いを掘り下げていくと、たんにイメージはしばしばいい加減だ、というありがちなことだけではなく、イメージ自体が歴史をもち、またそれがさらに歴史をつくっていく事実が見えてくる。

ユダヤ人についての基本情報

ユダヤ人の実態についてなじみがない人は多いだろうから、ここでは、概説書でよく提示されるような基本情報を簡単にまとめておきたい。

まず、ユダヤ人は、基本的にはユダヤ教徒のことを指す。「基本的には」というのは、ユダヤ教からかなり離れてしまった人、場合によっては他宗教に改宗した人についても、本人や周りはユダヤ人だと考える場合があり、ユダヤ人としての歴史を歩む／歩まされることがある点で、一概に無視することはできないからだ。

もっとも、そうした人々が多数派であるわけではない。また、どのユダヤ人も、自分自身はあまり該当しないとしてもユダヤ教がユダヤ人の定義の中心にあることはおおむね共有している。ユダヤ教では、「ユダヤ人の母から生まれた者、もしくはユダヤ教に改宗した者」という定義が採用されてきた。

ユダヤ教に改宗するにはかなりの勉強と実践が要求されるので、そのような苦労をしてまでユダヤ教に改宗しようという人は稀だ。だから、ユダヤ人はほとんどの場合世襲であり、その結果、ひとつの民族集団のようになっていく。

では、ユダヤ教はどのような宗教かといえば、ユダヤ教の律法（決まり）に従って日々の生活を送ることを基本とする。それをひとりで実践するのは難しいので、おのずと共同体がつくられていく。

決まりとは、日常生活上の具体的場面に応じたルールである。有名なものでは食物規定がある。イスラム教では豚を食べないのはよく知られているが、ユダヤ教では、お酒が許される以外はイスラム

エルサレムの伝統的なユダヤ人（筆者撮影、2006年）

教よりも厳しい。乳製品と肉をいっしょに食べてはならないという規定もあるから、チーズバーガーは御法度だ。そのほか、一年や人生のさまざまな場面で決まった祭りや儀礼がなされる。

こうした決まりの法源はまず『聖書』（キリスト教でいう『旧約聖書』）にある。そこから読み取れるルールが律法だ。ユダヤ人は、古代にパレスチナにあった王国が崩壊し、ローマ帝国との闘いに敗れて以来、自前の国をもたずに世界に四散していったが、律法に従うことがユダヤ人をしてユダヤ人たらしめてきた。

現在の世界のユダヤ人口は、控えめに見積もって一四六〇万人であり、一〇万人以上の人口をもつ国別にいえば、イスラエル（パレスチナ自治区含む）六五〇万人、アメリカ五四〇万人、フランス四五万人、カナダ三九万人、イギリス二九万人、アルゼンチン一八万人、ロシア一七万人、ドイツ一二万人、オーストラリア一一万人という分布だ。

「強欲なユダヤ人」の歴史

冒頭の「ユダヤ人は金持ちだ」というイメージは、歴史的に受け継がれてきた。その古い例として有名なのは、イングランドの劇作家シェイクスピアが十六世紀末に著した『ヴェニスの商人』という戯曲に登場するユダヤ人の金貸しシャイロックだ。

シャイロックは、物語の最初のほうで次のような台詞を吐いている。

〔アントーニオに関して〕おれはあいつがだいきらいだ、／キリスト教徒だからな。だがそれより気に食わんのは、／謙遜ぶってばか面さげ、ただで人に金を貸しやがって、／ヴェニスのおれたち仲間の金利を引きさげてることだ。／なあに、一度あいつの弱味を握ったらこっちのもの、／積もる恨みをゲップが出るほどはらしてやるからな。／あいつはおれたち神に選ばれたユダヤ人を憎んでいる[*1]

ここに記されているのは、キリスト教徒とユダヤ人の対比と、シャイロックの強欲さである。

こうしたイメージは、ヨーロッパ史には溢れていた。例えば、私が研究しているロシア帝国の場合、十八世紀末にプロイセンやハプスブルク帝国とともに断行したポーランド分割以来たくさんのユダヤ人を抱えることになった。分割前のポーランド王国の貴族たちは、ユダヤ人はお金持ちだというイメージを強くもっていた。中世のキリスト教復興運動の流れのなかでユダヤ人排斥の動きが高まったとき、ポーランド貴族たちは、経済活動に長けたユダヤ人を受け入れることで王国が繁栄すると期待し

フランス語版『シオン賢者の議定書』の表紙
出典：ノーマン・コーン『ユダヤ人世界征服プロトコル』ダイナミックセラーズ出版、2007年

た。いわばお互いの利害が一致したかたちで、今日のリトアニアやウクライナ西部も含んでいた王国に多くのユダヤ人が移住したのだ。

その多くの地域をロシア帝国は編入し、ユダヤ人も組み込まれることになった。したがって、二十世紀初頭の段階では、世界のユダヤ人口の半数をロシア帝国が抱えるまでに至った。だが、キリスト教の信仰が篤かったロシア帝国の支配層は、キリストの敵としてユダヤ人を毛嫌いしていた。ユダヤ人に対する偏見しかもっていなかった彼らがとくに懸念したのが、ユダヤ人は強欲で、ロシアの農民を搾取し、ロシアの大半を占めていた農村社会を荒らすのではないかということだった。

真面目にそう考えていたので、そうさせないために政府はさまざまな制限を設け、それがユダヤ人に対する差別的な法として体系化していった。ユダヤ人自身はそれでもなんとか生き抜いていったわけだが、ユダヤ人が裏で何をしているかわからないというイメージはロシアでは根強く続き、二十世紀の初頭のロシアでは『シオン賢者の議定書』という怪文書も出回った。これはのちにでっち上げであることが証明されたが、当時は、ユダヤ人の長老たちが世界支配を企む会議を行っていて、その議事録がこれだ、という触れ込みだった。この本は第一次世界大戦前後の時期までに、日本語を含む世界各国語に翻訳され流通していった。

こうしたユダヤ人に対する畏れは、ホロコーストの原動力にもなっていた。ユダヤ人を殲滅しないとドイツが乗っ取られてしまうという被害妄想だ。ここまでくると、「ユダヤ人は金持ちだ」というイメージは、決して床屋談義で済まされる話ではなく、人の生死も左右するほどの力をもったステレオタイプだったことがわかるだろう。

ユダヤ人は本当に金持ちなのか

では、ユダヤ人は金持ちだという言説はなぜこれほどまでに流行することになったのか。

まずは、「火のないところに煙は立たない」ということで、多少の誇張はあっても実際にユダヤ人がお金持ちだったという可能性から考えてみよう。

アメリカの『フォーブス』誌（二〇一八年）は、現在のアメリカの富豪十傑を挙げているが、そのなかでじつに五人がユダヤ系である。アメリカの総人口にユダヤ人が占める割合は多く見積もって二％程度だから、これは大変な数字だ。

では、このような最上位に入らないユダヤ人はどうだろうか。やや古いデータであるが、一九七三年から八七年にかけてアメリカで行われたある調査によると、白人（アメリカのなかでは平均的には裕福なほうである）のなかで、ユダヤ人は、ユダヤ人以外の白人の一・四倍の収入を平均して得ていた。[*2] こうした傾向は現在でも大きな変動はないだろう。

こうして見ると、ユダヤ人は金持ちだという言説は、少々乱暴だとしてもあながち間違っていないといえるかもしれない。

だが、じつはアメリカの状況は、長いユダヤ史のなかではむしろ例外的なのだ。ユダヤ人がロシア・東欧地域から多く移民した二十世紀前半の時期のアメリカ経済の発展にうまく乗ることができたこと、社会のなかのスケープゴート（怨念のはけ口）としては、すでに黒人、次いでアジア人が「定位置」となっていたことから、アメリカでユダヤ人は自由に活動できたといった好条件が重なった。

これに対して、今から百年前のロシア帝国では、ユダヤ人の貧困が深刻な問題として語られていた。例えば、一九〇七年にアイザック・ルビノウという人物がまとめ、アメリカの労働局から出版された『ロシアにおけるユダヤ人の経済状態』は次のように書いている。

「貧者」の語をもっと狭義に解釈しても貧民の数はきわめて多い。不十分な収入、なんら貯蓄できず、手から口への生活をよぎなくされているというひろい意味では、ロシア・ユダヤ人のおそらく九〇％は貧民である。[*3]

先に、ドイツでは、ユダヤ人の差し金で資本主義が発展したかのように語られていたと述べたが、じつはロシア帝国では、資本主義は一部のユダヤ人富豪を除く大半のユダヤ人をむしろ苦しめることになった。

なぜかというと、それまでユダヤ人は行商のような貧しい者も含め、商業や輸送業によって都市と農村、あるいは町と町を結んで利益を上げ、家内制手工業に分類される小規模な製造業で生計を立てている場合が多かったが、資本主義の発達によって、そうした職が「用なし」になっていったからだ。ユダヤ人のネットワークには鉄道網が取って代わり、町工場には大工場が取って代わってしまった。それぞれの部門の労働者は、ユダヤ人よりも賃金水準が低かった農村からの出稼ぎ労働者でまかなえたので、ユダヤ人の居場所がなくなってしまったのだ。

それまでの時期では、ユダヤ人は最貧困層ではなかったにせよ、さほど豊かな暮らしを送っていたわけではなかった。富豪は一握りにすぎなかった。もっとも、その富豪が貧しいユダヤ人にいろいろと慈善を行っていたために、最低ラインは確保できていたということはあった。

今日、例えば中国人にもたくさん富豪がいることはよく知られているが、「中国人は金持ちだ」というステレオタイプは広がらない。つまり、ユダヤ人の場合だけ、今日のアメリカのような例外的な状況が生まれる前の、一握りしか富豪ではなかった時期でも、その富豪のみを取り上げて全体を語るような言説がまかり通っていたのだ。それはなぜなのだろ

20世紀初頭、ロシア帝国のユダヤ人の行商
出典：Eugene M. Avrutin, ed., *Photographing the Jewish Nation* (The University of Chicago Press, 2009)

うか。

「ユダヤ人は金持ちだ」は何を含意しているのか

ステレオタイプについて考えるには、それが何を含意しているのかをまず探ることが大切だ。例えば、「女性は料理が得意だ」という言説がある。よく考えれば、実際には料理が苦手な女性は少なくない。そもそも、有名なレストランの料理人は男性ばかりではないか。料理が得意な女性も確かにいるから、まったくのデタラメではないにしても、相当一面的な物言いだ。

ではこの言説は何を意味するのか。一見、女性をポジティヴに語っているが、じつのところ、けっして褒めているわけではない。要は、その裏返しとして「男性は料理が得意ではない」ということを含意しているのだ。つまり、料理は女性がやったほうがいいと家事の押しつけをしているのである。男性は外で仕事に没頭したいという（一部の）男性の勝手な願望の反映と見なければならない。

「ユダヤ人は金持ちだ」というのも、同様に、けっしてユダヤ人を褒めているわけではない。その裏には、ユダヤ人は誰かからむしり取ったりズルをしたりして富んでいるのではないかとか、しまいには、ユダヤ人として集まって暗躍しているに違いないとか、ユダヤ人にとっては金銭的な利益が第一で、道徳は二の次なのだろう、といったことが含意されているのである。

これは結局、ユダヤ人ではない側（我々）との対比なのだ。つまり、我々は金に目をくらませることなく、つつましく道徳的に生きている、と。あげく、ユダヤ人はそうした世界を金の論理で破壊しようとしているがそれは許せないという話に発展していくのである。

郵 便 は が き

おそれいりますが切手をおはりください。

101-0052

東京都千代田区神田小川町3-24

白 水 社 行

購読申込書

■ご注文の書籍はご指定の書店にお届けします。なお，直送をご希望の場合は冊数に関係なく送料300円をご負担願います。

書 名	本体価格	部 数

★価格は税抜きです

(ふりがな)

お 名 前 (Tel.)

ご 住 所 (〒)

ご指定書店名 (必ずご記入ください) Tel.	取次	(この欄は小社で記入いたします)

『知のフィールドガイド 異なる声に耳を澄ませる』について (9756)

■その他小社出版物についてのご意見・ご感想もお書きください。

■あなたのコメントを広告やホームページ等で紹介してもよろしいですか？
1. はい（お名前は掲載しません。紹介させていただいた方には粗品を進呈します） 2. いいえ

ご住所	〒 電話（ ）		
（ふりがな） お名前	（ 歳） 1. 男 2. 女		
ご職業または 学校名		お求めの 書店名	

■この本を何でお知りになりましたか？
1. 新聞広告（朝日・毎日・読売・日経・他〈 〉）
2. 雑誌広告（雑誌名 ）
3. 書評（新聞または雑誌名 ） 4.《白水社の本棚》を見て
5. 店頭で見て 6. 白水社のホームページを見て 7. その他（ ）

■お買い求めの動機は？
1. 著者・翻訳者に関心があるので 2. タイトルに引かれて 3. 帯の文章を読んで
4. 広告を見て 5. 装丁が良かったので 6. その他（ ）

■出版案内ご入用の方はご希望のものに印をおつけください。
1. 白水社ブックカタログ 2. 新書カタログ 3. 辞典・語学書カタログ
4. パブリッシャーズ・レビュー《白水社の本棚》（新刊案内／1・4・7・10月刊）

※ご記入いただいた個人情報は、ご希望のあった目録などの送付、また今後の本作りの参考にさせていただく以外の目的で使用することはありません。なお書店を指定して書籍を注文された場合は、お名前・ご住所・お電話番号をご指定書店に連絡させていただきます。

ユダヤ人に関する流言の背景

それにしても、なぜユダヤ人ばかりが、こうした羨望や怨念のターゲットになってしまったのか。これにはユダヤ人が多少なりともそうした役回りを実際にすることになった歴史的背景がある。ユダヤ人はもともと商業も行っていたが、キリスト教を国教としたローマ帝国時代、土地の所有を禁止され、キリスト教に改宗しないために差別されていた。支配層には入れないが農民にもなれないので、ユダヤ人はおのずと隙間産業に入っていくことになる。

この頃のキリスト教は金融に対する規制が厳しく、キリスト教徒に対して利子を禁止していた。ヴェニスのキリスト教徒アントーニオが無利子で金貸しをしていたのもそのためだ。だが、ユダヤ人にはその禁止規定は当てはまらないので、結果的にユダヤ人が金融分野を占めるようになった。

商業に関しても、さまざまな地域に散ったことでネットワークができていった。同じユダヤ教徒ということで信頼関係も生まれやすい。商業や金融では、いちいち相手を根掘り葉掘り調べて監視し続けるコストはかけられないから、信頼があるというのは、スムーズな取引を行ううえではとても重要なポイントになる。

いわば、パレスチナを追われ、その後差別された結果として、ユダヤ人は金融と商業を得意分野とするようになっていったのだ。

それを買われてやってきたポーランド王国では、ユダヤ人は貴族と農民を取りもつ役割を与えられた。農村に商店を構えながら税金を貴族に代わって農民から取り立て、農民が使う土地を地主である貴族に代わって管理した。農民からすれば、いつもお金を取り立てにくるのはユダヤ人なのだ。貴族の差し金だというのを知っていたとしても、そのこともまた農民をいらだたせたかもしれない。

こうした状況は、ロシア帝国の支配下に入ってからもほとんど変わらないまま二十世紀を迎えた。そしてユダヤ人には、「農民の搾取者」というイメージが染みついてしまったのだ。なかには本当に強欲なユダヤ人もいただろうが、ユダヤ人の商店が、他の人々の商店と比べて暴利を働いていたとする証拠はないとの研究も提出されている。

「火のない所に煙は立たぬ」ということわざに引きつけていえば、一応、ユダヤ人とお金が結びつけてイメージされやすい状況自体はあったが、それは以上のような歴史的経緯によるもので、ユダヤ教にもともと備わった本質という類いのものではまったくない。

しかも、問題は、「火」は多少はあったとしても、実際には焚き火程度にすぎなかったにもかかわらず、それが山火事規模の煙に増幅されてしまったということである。つまり、イメージがひとり歩きする局面が多分にあったということだ。その背景は主に二つある。

ひとつ目は、キリスト教道徳との関係だ。教会は信者に対してあるべきキリスト者としての理想を語るが、それだけでは今ひとつ抽象的でわかりにくいので、反面教師に言及することが少なくなかった。その際に反面教師とされたのが、もともとキリスト教と対立していたユダヤ教なのである。なにせ、キリスト教にとって神に等しいイエスが正式なメシア（救世主）であることを認めないのだから、キリスト教徒にとって、ユダヤ教徒は最も「悪い人」である。

そういうユダヤ人が、いかに金に汚いか、強欲であるかを語り、「ああなってはいけない」と説くのである。

もうひとつは、とくに十九世紀から二十世紀に訪れた、キリスト教とともにあった伝統的な社会秩序や文化的規範の急速な変化ゆえに生まれた、人々の疑心暗鬼である。お金というのは、宗教のような精神的なものと対比される物質的なものの象徴だ。

具体的には、まず、すでに述べたように資本主義の発展が関係していた。社会の基盤を大きく変えていったから、そのことに危機感をもつ者はどうしても出てくる。その際に、犯人捜しが行われ、もともとお金と結びつけられていたユダヤ人は容易にターゲットになった。

あげくには、当時一部で、とくに若者のあいだで伝統宗教に取って代わっていった共産主義も反ユダヤ主義のターゲットになっていく。共産主義者にユダヤ人が多かったのは事実だ。共産主義は労働者の貧困問題を解決する策として登場し、だからユダヤ人を引き付けたのだが、共産主義に反対する者は、ユダヤ人が私腹を肥やすためにそれまでの支配構造を転覆しようとしていると妄想したのだ。

ステレオタイプの考え方——結びに代えて

以上から言えるのは、ステレオタイプ一般の性質だ。あらためて、時に人の生死も左右してしまうステレオタイプというものを考える際のポイントを抽出してみたい。

まず考えるべきは、なぜ特定のイメージが生まれたのかということだ。つまりそのイメージを素直に受け取るのではなく、それが語られるようになった経緯を解きほぐしていくということだ。

「火のないところに煙は立たぬ」という諺にふたたびかこつけるならば、まず、「火」はあったとしてもその実態は何で、またそれはなぜ生まれたのかを考える必要がある。ユダヤ教の本質のようなものとしてお金への信仰があったわけではなく、差別に起因する社会的な立ち位置の産物として、ユダヤ人が経済の要衝に位置するようになったのだ。
次に、「煙」、つまりイメージは、「火」に見合ったものなのかも考える必要がある。ユダヤ人をめぐる「金持ち」というイメージは、一部を歪曲したうえで過度に一般化したものだった。じつは、ここがステレオタイプや差別の問題を議論する際にいちばん厄介なところである。というのも、イメージに合致する実態がまったくないわけではないために、一概にそれをデマだと全否定することができないからだ。そうしてたじろいでいるあいだに、煙はもくもくと上がってしまう。しかし、誰がどのような理由で煙を煽っているのか、よく考えなければならない。

このことが重要なのは、とくに社会的立場が弱い人は、そうした煙に飲み込まれてしまうことが往々にしてあるからだ。ユダヤ人にまとわりついた否定的イメージは、ホロコーストとして最悪の結末を用意することになった。

ただ、こうした話は、なにもユダヤ人に限ったことではない。ステレオタイプが現実をつくってしまうという事態は、社会のさまざまな場面にある。有名なのは社会学のラベリング理論だ。この理論の提唱者は、犯罪者というのは、犯罪者だというラベルによって生まれると説いた。詳しく説明する紙幅はないが、その理論が提示する具体的な話としてとくに印象的なのは、正当なラベルかどうかは別として、いったん犯罪者としてのラベルを貼られてしまった人は、刑務所を出た後も世間からそのように見られて、まともな職に就けず、結局また犯罪に手を染めてしまう、という「二次逸脱」である。

こうしたメカニズムは集団にも当てはまり、差別がなかなか消えないのはそうした悪循環が生まれてしまうからである。「お金に汚い」というラベルを貼られたユダヤ人はそれを根拠にさまざまな制約を課せられ、そうしたなかでできることとして、結局お金を回すことで生計を立てることしかできなくなってしまうのだ。

そしてふたたび、ユダヤ人は金持ちだ、と噂されるのである。

註

*1 ウィリアム・シェイクスピア『ヴェニスの商人』小田島雄志訳、白水社（白水uブックス）、二〇〇二年、三一―二頁。

*2 Barry R. Chiswick, "The Skills and Economic Status of American Jewry: Trends over the Last Half-Century," *Journal of Labor Economics* 11(1), 1993, p. 232.

*3 野村達朗『ユダヤ移民のニューヨーク――移民の生活と労働の世界』山川出版社、一九九五年、四六―八頁。

プロフィール

鶴見太郎（つるみ・たろう）

一九八二年生まれ。東京大学大学院総合文化研究科国際社会科学専攻博士課程修了。日本学術振興会特別研究員、エルサレム・ヘブライ大学およびニューヨーク大学客員研究員、埼玉大学研究機構准教授を経て東京大学大学院総合文化研究科准教授。専門はロシア・ユダヤ史、パレスチナ／イスラエル地域研究、歴史社会学。

読書案内

▼市川裕『ユダヤ人とユダヤ教』岩波書店（岩波新書）、二〇一九年

▽日本におけるユダヤ教研究の第一人者による概説で、歴史的な流れや構造もわかりやすい。

▼赤尾光春・向井直己編『ユダヤ人と自治——中東欧・ロシアにおけるディアスポラ共同体の興亡』岩波書店、二〇一七年

▽ユダヤ人が迫害のなかでどのように自己を保っていったのかを探った論集。

▼鶴見太郎『イスラエルの起源——ロシア・ユダヤ人が作った国』講談社（選書メチエ）、二〇二〇年刊行予定

▽恐縮ながら筆者の近著も宣伝させていただく。本稿との関連でいえば、差別がどのようにイスラエルという国の対外的な強硬姿勢につながっていったのかを考察した。

常識を穿つ

教科書の「若紫」

──『源氏物語』の本文と挿絵

田村隆

紫の一本ゆゑに

『源氏物語』若紫巻は、五十四帖に及ぶ物語のうち桐壺・帚木・空蝉・夕顔の各巻に続く五番目の巻である。「いづれの御時にか、女御、更衣あまたさぶらひたまひける中に」で始まる首巻桐壺巻と並んで、ヒロイン紫上登場の場面として「雀の子を犬君が逃がしつる」[*1]の台詞とともに、高等学校の古典の教科書に採録されることも多い。ここでは、『源氏物語』若紫巻が載っている新旧の教科書を取り上げ、その本文と挿絵について考えてみたい。

そもそも「若紫」とは何か。『紫式部日記』の寛弘五（一〇〇八）年十一月一日の記事に「あなかしこ、このわたりに若紫やさぶらふ」という左衛門督藤原公任の言葉があるように、[*2]幼い紫上を比喩的に指すのはもちろんだが、元々は若い紫草（ムラサキ科の多年草）のことを言う。『古今和歌集』には紫草を指して、

紫の一本ゆゑに武蔵野の草はみながらあはれとぞみる

パトリックと本を読む

——絶望から立ち上がるための読書会

ミシェル・クオ［神田由布子訳］

罪を犯したかつての教え子を救うために何ができるか。読書の喜びを通して、貧困からくる悪循環にあえぐ青年の心に寄り添った法律家の記録。

（4月中旬刊）四六判■2600円

上海フリータクシー

——野望と幻想を乗せて走る「新中国」の旅

フランク・ラングフィット［園部 哲訳］

「話してくれたら運賃タダ」という奇抜なタクシーで都市と地方を行き来し、時代の重要な転換点にある中国を見つめた野心的ルポ。

（4月下旬刊）四六判■2700円

ホッキョクグマ

北極の象徴の文化史

ミヒャエル・エンゲルハルト［山川純子訳］

絶滅危惧種として、地球温暖化に警鐘を鳴らす象徴としてこよなく愛される種の数奇な歴史。その真の姿に迫る「ホッキョクグマ大全」！

（4月[illegible]旬刊）A4変型 4色刷■[illegible]000円

新刊

知のフィールドガイド

異なる声に耳を澄ませる

東京大学教養学部［編］

東京大学教養学部の人気公開講座の書籍化第2弾。人文科学の内容を収録。古典文学からAI事情まで、人文科学を幅広く見渡す一冊。

（4月下旬刊）四六判■1800円

知のフィールドガイド

生命の根源を見つめる

東京大学教養学部［編］

東京大学教養学部の人気公開講座の書籍化第2弾。自然科学の内容を収録。原子時計からiPS細胞まで、自然科学を幅広く見渡す一冊。

（4月下旬刊）四六判■2200円

ジャック・デリダ講義録

ハイデガー

存在の問いと歴史

ジャック・デリダ［亀井大輔・加藤恵介・長坂真澄訳］

ハイデガーの『存在と時間』をデリダ自身が翻訳し、読解する——「歴史」を揺るがした全9回の講義。自筆原稿16頁カラー口絵収録。

（巻十七・雑上・八六七・よみ人しらず）

という歌があるし、『伊勢物語』初段の歌、

春日野の若紫のすり衣しのぶの乱れかぎりしられず

も紫草を詠んだものである。昨年、ある機会に分けていただいた紫草の種を春先に蒔いて育てたところ、武蔵野（と言ってもベランダの鉢植えだが）の紫の一本はちょうど秋の授業が始まる日に小さな花を咲かせた（図1）。夏の花だが、遅咲きだった。白黒写真では伝わりにくいが、「紫草」の名に反して花は白い。紫色なのは根で、煮出して紫根染（しこんぞめ）の染料に使うのである。[*3]

図1　紫草の開花（2019年9月24日）

雀の子を犬君が逃がしつる

それでは、若紫巻の一節を読んでみよう。多くの教科書に載っている、かいま見の場面である。教科書研究センター附属教科書図書館に配架される「古典B」の現行教科書二十冊の全てに掲載されている。

日もいと長きに、つれづれなれば、夕暮のいたう

霞みたるにまぎれて、かの小柴垣のもとに立ち出でたまふ。人々は帰したまひて、惟光朝臣とのぞきたまへば、ただこの西面にしも、持仏すゑたてまつりて行ふ、尼なりけり。簾すこし上げて、花たてまつるめり。中の柱に寄りゐて、脇息の上に経を置きて、いとなやましげに読みゐたる尼君、ただ人と見えず。四十余ばかりにて、いと白うあてに痩せたれど、つらつきふくらかに、まみのほど、髪のうつくしげにそがれたる末も、なかなか長きよりもこよなういまめかしきものかな、とあはれに見たまふ。

光源氏は瘧病（一日おきに発熱が起こる病という）を治療すべく、惟光を伴って京の北山に住む「かしこきおこなひ人」（修験の聖）のもとを訪れるが、そこで勤行に励む尼君達の様子を小柴垣からかいま見る。かいま見は「垣間見」と書くように、垣根のすき間からのぞき見ることを言う。源氏は色白で尼削ぎ姿の美しい尼君に惹かれる。そしてその時、源氏は幼い紫上（物語中でそう呼ばれるのはずっと先のことだが）に初めて出会うことになる。

きよげなる大人二人ばかり、さては童べぞ出で入り遊ぶ。中に、十ばかりやあらむと見えて、白き衣、山吹などのなえたる着て、走り来たる女子、あまた見えつる子どもに似るべうもあらず、いみじく生ひ先見えてうつくしげなる容貌なり。髪は扇をひろげたるやうにゆらゆらとして、顔はいと赤くすりなして立てり。「何ごとぞや。童べと腹だちたまへるか」とて、尼君の見上げたるに、すこしおぼえたるところあれば、子なめりと見たまふ。

十歳ほどに見える一人の少女が走ってくる。彼女こそ後の紫上で、「顔はいと赤くすりなして」とあるのは、泣いているためである。尼君は心配し、他の子達と喧嘩をしたのかと尋ねる。尼君と少女は少し似ているところがあり、源氏は親子かと推測するが、後に尼君の孫とわかる。親子と誤解するほど、尼君は若く美しく見えたのであろう。そのことを読者に伝えたくて、作者紫式部は源氏にあえて誤解させるのである。紫上は尼君にこう訴える。

「雀の子を犬君が逃がしつる。伏籠(ふせご)の中に籠(こ)めたりつるものを」とて、いとくちをしと思へり。このゐたる大人、「例の、心なしの、かかるわざをしてさいなまるるこそいと心づきなけれ。いづ方へかまかりぬる。いとをかしうやうやうなりつるものを。烏(からす)などもこそ見つくれ」とて立ちて行く。髪ゆるるかにいと長くめやすき人なめり。少納言の乳母(めのと)とぞ人言ふめるは、この子の後見(うしろみ)なるべし。

伏籠とは香炉や火鉢にかぶせて香を焚きしめる籠のことで、それを鳥籠がわりに使って大切にしていた雀の子を、女童の犬君が逃がしてしまったというのである。少納言の乳母は、粗忽(そこつ)者の犬君がまたこんな仕業をして叱られるのは困ったものだと嘆く。引用はここまでだが、紫上は源氏の思慕する継母藤壺に似ており、それでこの少女のことが気にかかるのだろうと源氏は思う。少し後で明かされるのだが、紫上は藤壺の姪にあたり、源氏は似ている訳を知って合点がいくのであった。

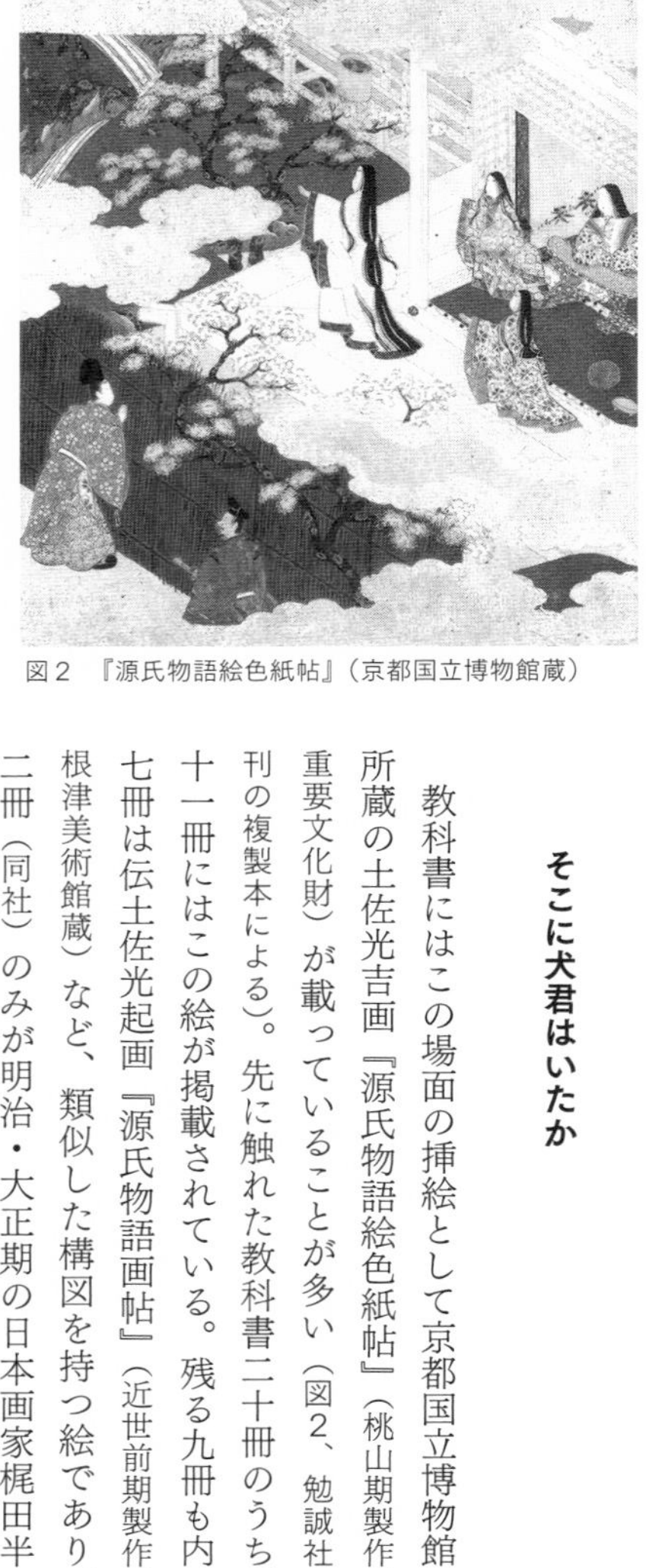

図2　『源氏物語絵色紙帖』（京都国立博物館蔵）

そこに犬君はいたか

教科書にはこの場面の挿絵として京都国立博物館所蔵の土佐光吉画『源氏物語絵色紙帖』（桃山期製作、重要文化財）が載っていることが多い（図2、勉誠社刊の複製本による）。先に触れた教科書二十冊のうち、十一冊にはこの絵が掲載されている。残る九冊も内七冊は伝土佐光起画『源氏物語画帖』（近世前期製作、根津美術館蔵）など、類似した構図を持つ絵であり、二冊（同社）のみが明治・大正期の日本画家梶田半古（一八七〇―一九一七）の絵を載せる。本文のみならず、光吉の挿絵も「定番教材」と言えよう。脇息にもたれかかるのが尼君、その前にいるのが紫上、簀子に立つ少女が犬君、雀の行方を眺めるのが少納言、視線の先には雀が描かれる。小柴垣の前には源氏と惟光の姿もある。雀は振り向いているのだろうか。

豪華で美しい絵であり、本文の場面をよく表しているように見えるが、実は不自然な点があることにお気づきだろうか。前節の原文に戻って、紫上が登場する場面の映像を思い浮かべてみよう。紫上が尼君や少納言の乳母のいる場所に走ってきて、雀と犬君のことを訴える。その瞬間を切り取ったとき、一時停止した静止画の中に犬君はいるだろうか。雀はいるだろうか。伏籠はあるだろうか。そう考えてゆくと明らかなように、報告を受ける尼君や少納言は「事件」の現場を直接見ていない。そこに犬君がいるはずはなく、もし居合せたなら、少納言も「例の、心なしの」（いつものごとく、粗忽者の犬君が）などという言い方はしないだろう。雀も尼君や少納言の視線のすぐ先を飛んでいるというのはおかしいし、伏籠も彼女達の目の前に置かれているはずがない。事件はこの部屋で起きたわけではないのである。これらを矛盾なく一画面に収めるには、紫上の頭上に回想シーンの吹き出しを付けるなどの工夫が必要であろう。

だがこの齟齬は、物語についての絵師の無理解ということでは必ずしもないだろう。おそらくは意図的に、複数の時間と空間を一つの画面に併せ入れているのである。この名場面には伏籠も雀もほしい。それは、今で言うところの「映(ば)える」という感覚に近いのではないか。教科書の挿絵だからといって、本文に忠実に描いたいわゆる「正解」が示されているとは限らず、油断はならない。絵の印象により、記憶の中で物語が再構成されることもしばしば起こる。

図３　『源氏絵物語』（東京大学総合図書館蔵）

時代が下ると、この構図はさらに展開する。東京大学総合図書館所蔵の『源氏絵物語』（弘化（一八四四―一八四七）頃刊）は、三代目歌川豊国（国貞）による錦絵が楽しめる[4]（図3）。少女が両手を大きく広げて驚く様子が役者絵のようで面白いが、この子は誰であろうか。鳥籠を開けてしまったという意味では犬君のようにも見えるが、ヒロイン紫上をかいま見る場面である以上は、やはり紫上なのであろう。どちらと解しても矛盾の残る、不思議で楽しい絵である。[5] それに先立つ梅翁（奥村政信）作・画『雛鶴（ひなづる）源氏物語』（宝永五（一七〇八）年刊）の挿絵は、鳥籠を開けてすぐの瞬間であろうか（図4）。こちらは雀が何羽も飛び立つ。そしてついには、伏籠と雀のみの絵すら描かれた（図5）。人が誰もいないので、「留守文様」と呼ばれる。他にたとえば尾形光琳の国宝『燕子花（かきつばた）図屏風』（近世前期製作、根津美術館蔵）が留守文様の著名な例として挙げられ、背景に『伊勢物語』九段の八橋の物語を思わせる。

図4　『雛鶴源氏物語』（国立国会図書館蔵）

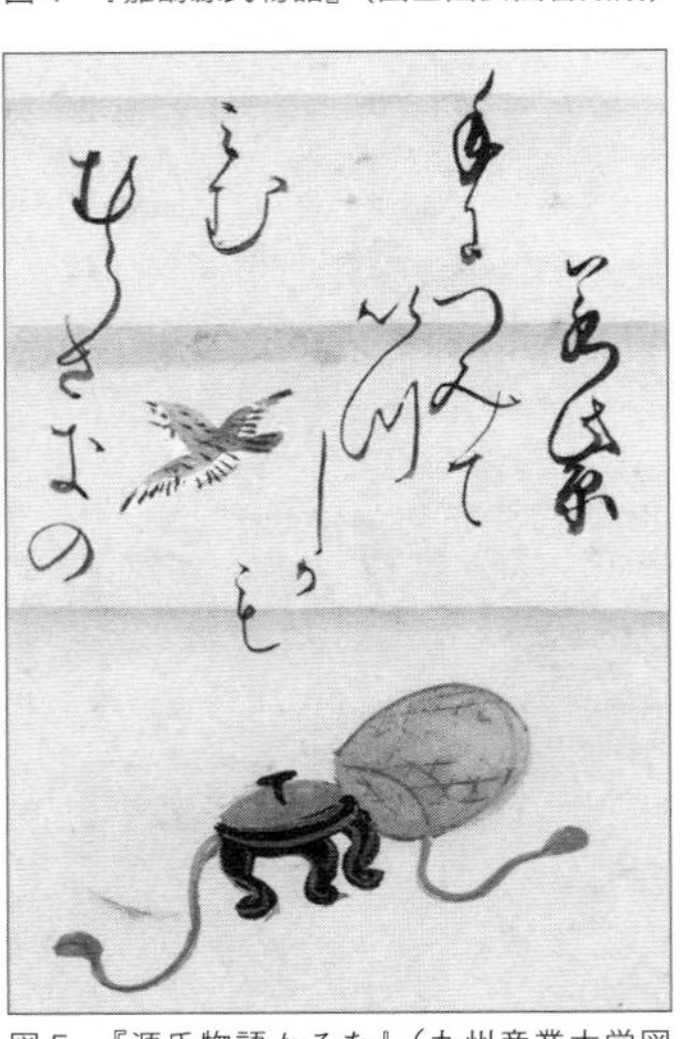
図5　『源氏物語かるた』（九州産業大学図書館蔵）

そこに源氏はいたか

今度は戦前の教科書の「若紫」を読んでみよう。*6 昭和十三（一九三八）年には小学生向けの国定教科書第四期『小学国語読本　尋常科用』、いわゆる「サクラ読本」（巻一の冒頭教材が「サイタ　サイタ　サクラ　ガ　サイタ」であるためそう呼ばれた）の巻十一に『源氏物語』が採録された。今と異なり、小学校で『源氏物語』を学んでいたのである。若紫巻のかいま見の場面と末摘花巻後半の一節が小学生向けに現代語に直されて載っているが、そのうち若紫巻の紫上が駆け込んでくるところから紹介する。先に見た原文と比較してほしい。

第四　源氏物語

尼さんはもの靜かに、
「いやもう、あなたはまるで赤ちやんですね。どうして何時までもかうなんでせう。わたしがこんなに病氣で、何時とも知れない身になつてゐるのに、あなたは雀の子に夢中なんですか。生き物をいぢめるといふことは、佛樣に對しても申しわけのないことだと、ふだんから教へて上げてあるでせう。さあ、こゝへちよつと

十九

図６　『小学国語読本　尋常科用』巻11（架蔵）

> 時々女の子たちが出たりはいつたりして遊んでゐる中に、十ばかりであらうか、白い着物の上に山吹色の着物を重ねてかけ出して来た女の子は、何といふかはいらしい子であらう。切揃へた髪が、ともすると扇のやうに広がつて、肩の辺にゆらく掛るのが目立つて美しく見える。どうしたのか、其の子が尼さんのそばに来て、立つたまゝしくく泣出した。「どうしました。子供たちと言合ひでもしたのですか。」と言ひながら、見上げた尼さ

んの顔は、此の子とどこか似た所がある。「雀の子を、あの犬君が逃したの。かごに伏せて置いたのに。」と、女の子は、さもくやしさうである。そばにゐた女の一人は、「まあ、しやうのない犬君ですこと。うつかり者だから、ついゆだんをして逃したのでせう。せつかくなれて、かはいくなつてゐたのに。烏にでも取られたらどうしませう。」かう言つて、雀を探しに立つて向かふへ行つた。それは、此の子の乳母であるらしい。[*7]（図6）

一見すると物語の原文を易しく訳しただけに思えるが、ここでも注意が必要である。有働裕『源氏物語と戦争――戦時下の教育と古典文学』（インパクト出版会、平成十四年）に詳述される通り、かいま見の挿絵から、原画の山本春正『絵入源氏物語』（慶安三年跋刊）には描かれる光源氏と惟光の姿が削除されているのである（図7）。本文も、尼君に「こよなういまめかしき」魅力を感じる箇所の描写がなく、また「見えず」「見たまふ」など、源氏によるかいま見の視線が丁寧に削られていることに気づく。すなわち、紫上や尼君達の様子を見てあれこれ評しているのはあたかも作者紫式部自身であるかのような筆致なのである。これは、源氏のいない『源氏物語』に加工されていると言ってよい。小学生向

図7　『絵入源氏物語』（国文学研究資料館蔵）

けの教科書であることに配慮したともとれるが、むしろ時局に鑑みての加工という側面が大きかったのではないか。

だが、こうした一定の配慮にもかかわらず、この教材は橘純一「小学国語読本巻十一「源氏物語」について文部省の自省を懇請する」（『国語解釈』昭和十三年七月）によって厳しく非難されたことが知られる。『批評集成源氏物語』第五巻、戦時下篇（ゆまに書房、平成十一年）より引用する。[*8]

源氏物語の情的葛藤中、最も重要な枢軸をなす藤壺中宮対源氏の君の関係、これより起つた第三帝（桐壺の巻に出で給ふ帝を第一帝として数へ申す）御即位の事、源氏の君が太上天皇に准ぜられる事、これらは大不敬の構想である。源氏の君の須磨引退の原因となつた第二帝の寵姫朧月夜内侍との関係も亦然り。源氏物語は全篇一貫して、その性格が淫靡であり不健全である。平安朝貴族衰亡の素因を露呈した文学である。これを無条件で、「我が国第一の小説」「世界的の文学」として推奨することは、国民教育上有害である。

平成十八年の四月から九月まで放送されたＮＨＫの連続テレビドラマ小説「純情きらり」には、昭和十四年、女学校に勤める有森笛子（主人公桜子の姉）が『源氏物語』を教えたことが視学官に咎められ、たしか『源氏物語』の教本を地面に叩きつけられる場面があったように思う。橘氏の主張と同じ理由であろう。

右に引用した箇所は『源氏物語』受難の時代を物語る言説としてしばしば紹介されるが、一方で同じ文章の後半に次のような一節があることにも注意しなければならない。

ちよつと念のために申上げておくが、それならば源氏物語を講ずるのはやめたらよからうと、専門外の方は思はれるであらうが、依然只今でも私は同じ専門学校（引用者注・二松学舎専門学校）で源氏物語をやつてゐる。それは源氏物語は、平安朝の言語文章の一大宝庫であるからである。平安朝以後における言語文章の解釈力を得るためには、この宝の山は出来るだけの努力で掘り下げ掘返されねばならない。かういふ意味で（又、一面平安朝貴族文化の特質を知らしめる意味で）国語国文学の専門学校における源氏物語の講究は永久に廃されてはならぬと、私は信じてゐる。

小学校と専門学校の違いもあるとはいえ、物語の「情的葛藤」の批判と「言語文章」の尊重とが混在している。そして、この矛盾と思われるほどの『源氏物語』評価の両義性は別の場でも認められる。

話が少し遡るが、昭和七年六月四日には紫式部学会が創立された（栗山津禰『紫式部学会と私』表現社、昭和三十四年）。学会主催の『源氏物語』講座は年八回の形で今日まで続いている。同年十一月十九・二十日には、東京帝国大学大講堂（安田講堂）のおそらくは回廊で（加藤諭氏教示）、文学部国文学科主催、紫式部学会後援の「源氏物語に関する展覧会」が開催された。

禁止と愛読は交錯する。翌昭和八年十一月に新劇場で企画された『源氏物語』六幕十七場の舞台（紫式部学会後援）は上演禁止に追い込まれた。『報知新聞』昭和八年十一月二十三日朝刊に掲載された林保安部長の談話を再び『批評集成源氏物語』から引けば、「御承知の通り源氏物語は平安朝文学の粋であり自分も愛読し文芸作品として芸術価値の高いことは充分認めてゐるが、大衆を相手にする劇として公開する場合を考へると、如何に文学的価値ある作品といへども許せぬ場合があり今回の上演禁止問題も大衆相手の劇として上演することによつて風紀上面白くないと考へたので残念ながらかうした処置に出たものである」とあって、『源氏物語』の愛読者を自認しつつ、「大衆相手の劇」を理由に上演を禁止している。『源氏物語』でなく「大衆」に禁止の原因を押し付ける論法と言える。

一方の展覧会はその後も企画された。昭和九年一月九日から三十日まで銀座松屋八階において開催された「源氏物語展覧会」（源氏物語同好会主催）の目録には、「源語は単に最古最大といふだけの史的骨董的価値だけのものではないのです」、「源氏物語は富士の神峰に儔（たぐ）へて日本が宇宙に誇るべき最も美しい芸術の華であります」（島津久基「源氏物語とは」）と強調されているが、前年の上演禁止と重ね合わせれば、「単に最古最大といふだけの史的骨董的価値だけ」を都合よく取り出そうとする風潮への皮肉と取れなくもない。ちなみに、昭和十年代半ばには与謝野晶子、谷崎潤一郎の現代語訳が相次いで上梓され、『源氏物語』愛読の機運が伺えるが、谷崎訳においては藤壺との密通場面などは自主規制の形で削除された。[*9] 谷崎は生涯に三度『源氏物語』を訳したが、一度目の戦前版における冷泉帝はしたがって不義の子ではない。サクラ読本の姿勢にも通ずる修正と言えよう。戦争が長期化し、昭和十五年に東京で開催予定だったオリンピックを返上した頃のことである。

註

*1 以下、古典文学作品の引用に際しては、現行教科書の多くが拠る『新編日本古典文学全集』（小学館）を用い、適宜表記を改めた。

*2 この記事により、平成二十（二〇〇八）年には「源氏物語千年紀」としてさまざまな催しが行われた。

*3 大河内衎（ただし）『むらさき染に魅せられて——ムラサキ草の栽培と紫根染・しらかし染・利休ねずみ』農山漁村文化

協会、平成二十四年。

*4 野々口立圃『おさな源氏』(正徳三(一七一三)年刊)などを手本にしているとされる。ここに添えられる「源氏香」とは五種の香を嗅ぎ分ける遊びである。何番目と何番目の香が同じ、といった形で五十二通りに場合分けされ、それぞれこのような図様と巻名で表される。

*5 ちなみに、同館には室町時代末期書写の『源氏物語』五十四冊が所蔵される(青洲(せいしゅう)文庫)。令和元年六月三日、東京大学デジタルアーカイブズ構築事業の一環として、この東京大学本の画像データベースが公開された(https://iiif.dl.itc.u-tokyo.ac.jp/repo/s/genji/page/home)。桐壺巻については、複数の伝本の画像が比較表示される「デジタル源氏物語　Ver.KIRITSUBO　源氏物語本文研究プラットフォームを目指して」が同年十一月二十九日に公開された(https://genji.dl.itc.u-tokyo.ac.jp/app/#/)。

*6 本節は拙稿「禁止と愛読の時代—昭和初期の『源氏物語』受難—」(『日本教育史往来』第二三三号、平成三十年四月)を基に書き改めた。

*7 金曜特別講座の折は会場で指名してこの教科書を読んでもらったが、埼玉県立所沢北高等学校の生徒が、紫上と尼君の声色を使い分けるなど、見事な朗読を披露してくれた。

*8 同巻所収の小林正明氏による解題「喪われた物語を求めて」も併せて参照されたい。

*9 西野厚志「ボロメオの結び目をほどく——新資料から見る「谷崎源氏」」『物語研究』第六号、平成十八年三月。

プロフィール

田村 隆(たむら・たかし)

一九七九年生まれ。東京大学大学院総合文化研究科准教授。二〇〇六年、九州大学大学院人文科学府博士後期課程修了、博士(文学)。九州産業大学国際文化学部講師、東京大学大学院総合文化研究科講師をへて、現職。読書案内に挙げた著書のほか、共著に『高校生のための東大授業ライブ　学問からの挑戦』(東京大学出版会、二〇一五年）、『東京大学駒場スタイル』（東京大学出版会、二〇一九年）などがある。

読書案内

▼藤井貞和、今西祐一郎他校注『源氏物語』（全九巻予定）岩波文庫、二〇一七年―
▽現在第七巻まで刊行中の『源氏物語』校注書。原文と訳注を見開きで読み進めることができる。私も編集協力者の一人として校注・解説や巻末の地図作りに携わっている。

▼東京大学教養学部山水会編『源氏物語　葵・賢木』矢島書房、一九五三年
▽東京大学教養学部の国文・漢文学関係教員（山水会）によって七十年近く前に編まれた教科書。桐壺巻や若紫巻は高校までに習うという前提でこの両巻が採られたのだろうか。

▼品田悦一『万葉集の発明　新装版』新曜社、二〇一九年（初版二〇〇一年）
▽「天皇から庶民まで」の歌を収めた国民歌集という『万葉集』評価を根底から問い直し、近代日本において古典としての『万葉集』像が形成されてゆくさまを実証する。

▼田村隆『省筆論――「書かず」と書くこと』東京大学出版会、二〇一七年
▽『源氏物語』を中心に、平安朝文学における「書かないこと」について考察した一冊。目次等はUTokyo BiblioPlazaのウェブサイトに載っているので、詳しくは書かない。

かわいらしければよいのか
——十八世紀フランスから

森元庸介

はじめに

「彼女は本当にかわいらしいの、まだ、たったの十五歳」——ともに名うての毒婦と奸夫が謀って淑やかな人妻と世間知らずの乙女を罠に絡め取りながら、しっぺ返しを受けるようにそれぞれもまた破滅に陥るまでを書翰体で描いたラクロ『危険な関係』の「第二信」で、毒婦すなわちメルトゥイユ侯爵夫人は奸夫すなわちヴァルモン子爵に対しそのように請け合っている。[*1]「彼女」とは、やがて子爵に誑(たぶら)かされてしまう令嬢セシルのことだ。

セシルはもちろんそんなことは露知らず、預けられていた女子修道院を出されたばかりで、きっと結婚が近いのだと胸ふくらませつつ、あとに残した友人ソフィーに向け、初めての夜会の感想を次のように打ち明けている（第三信）。

「かわいらしい」という言葉が二回か三回、聞こえた気がする。でも「こなれない」といわれているのもはっきり聞いたの。[*2]

というわけで、これから論じるのは「かわいらしさ」、フランス語でいえば形容詞に定冠詞をつけて《le joli》という言葉のことである。何でもないようであるこの言葉をプリズムとして、感性のいかなる屈曲を窺うことができるだろうか。あまり気負わずやってみよう。[*3]

流行語

『危険な関係』が出版されたのは一七八二年、ただし作中に描かれる時代はそれより少し昔なのだとされている。事細かに詮索はせず出版から十年ほどさかのぼったあたりに見当をつけるなら、当時のフランス、とりわけパリにあって「かわいらしい」は一種の流行語だった。わかりやすい証左は、ニコラ・トマ・バルトによる一七六九年の小説、というよりもそのタイトル『かわいらしい女、あるいは、いまの女』である。[*4] 今日ではほとんど忘れられているが、「かわいらしい」オランジュ侯爵夫人を主人公とし、それなりに辛辣な人間観察を交えた恋愛譚は公刊から十年近くのちまで版を重ねるヒット作となった。「いまの女」を描くと宣言したタイトルがそのまま宣伝として功を奏し、時代に「いま」の徴を残した――さしあたりそのように捉えてよいだろう。

ただ、流行がえてしてそうあるように、「かわいらしさ」は必ずしもポジティヴ一辺倒の価値指標だったのでない。本当をいえば、上記『かわいらしい女』の侯爵夫人もメルトゥイユ夫人の小型版というべき「毒婦」の相のもとに描かれ、その晩年は侘しいものであったと皮肉に結論されている。それと事情は同じでないが、省みれば、冒頭に引いたラクロの一節で、「かわいらしい」が「こなれない」と並べられていたことも示唆的であるわけで、ついでというのではなく、『危険な関係』からもうひとつ小説的な証言を汲んでみよう。先に引いた第三信のあと、セシルはメルトゥイユ夫人の知遇を（むろん夫人そのひとが謀った結果として）得たりしつつ徐々に社交の世界になじんでゆくが、その時期にやはりソフィーへ宛てた手紙で次のような観察をしたためている（第十四信）。

〔…〕ひとって世間に出るとおしゃれに気を取られるのね。かわいらしくなりたいって、ここ数日ぐらい思ったことはないもの。だけど、わたしって自分で思っていたよりかわいらしくないみたいなの。〔…〕わかっているの、男のひとったらみんな、わたしよりたとえばメルトゥイユ夫人をかわいらしいと思っている。でも、いやな気はしない、だって夫人はわたしをとても好いてくれているし、「ダンスニー騎士は、わたしよりあなたのほうがかわいらしいと思っていますよ」なんておっしゃってくださるのだもの。[*5]

むろんメルトゥイユ夫人がかわいらしいはずもなく、その彼女とかわいらしさを競おうとするセシルの未熟さがかわいらしいのであり、夫人はそのかわいらしさにつけ込んで虚栄心の毒を甘みにくるみながら流し入れてくるわけだ。（手紙の）書き手の思いちがいを（小説の）読み手が覗き込んで微苦笑する――書翰体のわかりやすい楽しみといってよいだろうが、右の一節で、その楽しみは「かわいらしい」という形容に含まれた侮りの念に時宜よく裏打ちされている。

美ではないもの

そうした機微にもう少し分け入るべく、小説世界を離れてよいかもしれない。取り上げるべきはかの『百科全書』の項目「かわいらしさ」である。同項目を収めた第八巻の公刊は一七六五年で、上述のバルトの小説より四年早い。管見のかぎり著者は特定されていないが、アントワーヌ・ブレという当時それなりに名のあった文人と思しい。[*6] 項目の書き出しから見てみよう。

わたしたちの言語には〈美しさ(le beau)〉に関しては高く評価される論攷がさまざまあるのに、ひっきりなくそれに供物を献げているとわたしたちが隣人から非難されている偶像については、称讃演説をおこなう者がわたしたちのあいだに見つからずにいる。世界でもっともかわいらしい国民は、かわいらしさ(le joli)についてまだほとんど何も述べていないのである。[*7]

かわいらしさは、なによりもまず美しさと区別されるべき質であるというわけだが、では、その区別はどのようになされるか。

美しさがわたしたちを驚かせ、熱狂させ、自然の壮麗のもっとも偉大な効果であるのだとして、かわいらしいものはといえば自然のもっとも甘やかな恩恵のひとつではなかろうか。自然はときとして(あえていうなら)巧みな色事にぐったりするかのようで、わたしたちの心や感覚を心地よく揺さぶり、魅惑的な感情や快楽の萌芽をそこにもたらしてくれるように思われる。

ここで美しさを特徴づけているのは一種のスケール感（「壮麗」）とそれが惹起する興奮（「わたしたちを驚かせ、熱狂させ」）である。こうした理解を意外に感じる向きもあるかもしれないが、日本語の環境でもかつて「うつくし」が同様の意味を含みえたことだけを言い添えよう。[*8] 対して、かわいらしさが徴づけるのは自然の本体的な性格ではなく、それがいわば折々に与える末梢的な効果、そこに現れた部分的な性格である。末梢的であること、部分的であることはすでにして性的な快楽と結びついているだろうが、項目の著者ブレがそうした連関を十分に意識していることは「巧みな色事（ingénieuses galanteries）」という喩えに明らかだ。ありていにいえば、かわいらしさの魅力は、ほのかな愛撫やくすぐりといった軽微な接触が引き起こす予徴的な心地よさ（「快楽の萌芽」）に近しい。このことがつづく段落で以下のように展開される。

わたしたちの頭上に不動の運行と規則をつうじて広がる星々の眺め、その輝かしく豊かな光、その星々を吊り下げるかに見える巨大な天空、海原の崇高な光景、さまざまの壮大な現象といったものが魂にもたらすのは堂々たる観念にほかならない。けれども、女神フローラの吐息と春の手で彩られる絨毯のうららかな外観の秘密、甘美な興趣を描き出すことが誰にできるだろう。〔…〕それこそが優美の女神たちの魅力、そして、そこから生まれるかわいらしさの魅力なのだ。

美と崇高といえば美学史においては最重要といってよいほどの取り合わせであるが（なお、バーク『崇高と美の観念の起源』は一七五七年の出版）、右の文中ではむしろ置き換えられてさえいて、その両者に対置されるのが、外面に仄めかされた内奥の甘美（「外観の秘密、甘美な興趣」）、その誘いかけるような魅惑としてのかわいらしさである。それが冒頭に見た「かわいらしい」セシルのありよう、すなわちセクシュアリティにはなお閉ざされ、だからこそまた大人たちの試すような視線に曝される、強い意味での「対象化」に通じうることは強調せずともよいだろう。

流行、つまりその終わり

さて、ひとまず自然界を話題として始まった項目はやがて、大げさにいえば一種の比較文明史的な叙述へ向かう。曰く、発展著しいロシアがなるほど偉才（génie）においてフランスを凌駕することはあるかもしれないが、しかし「優美神の冠とウェヌスの腰帯」をわたしたちの手からもぎとるのはむずかしいだろう。峻厳な気候条件が妨げとなるからである。これと対比的に、遠く例を取れば、かつて「血なまぐさい自由の亡霊」に揺れたローマの民でさえ、やがて権力の一極集中と反比例して「銘々の幸福と快楽に専心する」ことになった。近くを見れば十七世紀のフランスでも事情はおよそ同断であり、かつてコルネイユに熱狂したひとびとはやがてヴォワチュールの軽快さを好むようになり、ついに「ルイ大王」の権威のもと「フランス的な都会趣味」が「十全に輝き出て」、「より洗練され、しかし深みを失うのでない感受性がその魂を満たすことになった」。むろん、それを象徴するのが「かわいらしさ」の流行だ。ローマとフランス十七世紀、ふたつの事例が示すのは、風土（北方の寒冷に対する南方の温暖）、また、あるいはそれ以上に、強大な権力のもとでの社会的安定が美的趣味の進展にまで及ぼす決定的な影響である。著者自身、右に先立つくだりで次のように述べているのだった。

当代のプラトン〔モンテスキュー〕は〔…〕風土と統治体に由来するさまざまな事由を人間の営為の源泉とみなしているのであるが、それこそがおそらくはかわいらしさの点でわたしたちが他の国民に立ち勝っている真の原因なのであろう。

だが、こうした記述にどこか媚びへつらうような声音を聞かずにいるのはむずかしい。また、それが意識的に選ばれたものでないかという疑いを押さえ込むのもむずかしい。語り口の醸し出す媚態は語られた当の「かわいらしさ」のありかたをなぞるようでもあり、項目の全体が、取るに足らぬことがらを過剰に称讃するというそれ自体が伝統的でもある文学上の定型(つまり称讃演説のパロディ)を冗談めかして、あるいはやや意地悪く再演しているのでないかという印象が萌す。実際、かわいらしさに向かう魂は「自然」で「繊細」で「感受性豊か」であるのだが、同時に「柔弱」であるともいわれるのだった。また、あくまで「感覚に語りかける」質であるかわいらしさを美しさと同列に並べてしまえば、それはやはり行き過ぎであるとも、さらには「偉才のひと」でなく「愛想のよい芸人」や「愉快で気さくな凡詩人」、「小話や短い物語をものする軽薄な作家」が人気を博するのはかわいらしさへの嗜好のせいであるともいわれるのだった。なによりも項目全体の、ほとんど不意打ちのようでもある次の結語はどうだろう。

かわいらしさの領分はつまり美しさのそれから切り離されている。〔…〕両者に共通する規則はたったひとつである。それは真実という規則だ。真実から逸れたかわいらしさは毀(こわ)され、もったいぶって小ぶりになり、こせこせしてグロテスクになる。いまのわたしたちの技芸、習慣、なによりモードはかわいらしさの偽の模像で溢れている。

なるほど難じられているのは「かわいらしさ」それ自体ではなく、あくまでその贋造品なのだとはいえる。かわいらしいのだったらそれでよいではないか！　だが、本物のかわいらしさと偽物のかわいらしさを截然と切り分けることは本当に可能だろうか。項目の最後の最後で不意に方向を転じて読者を突き放す運びは、それ自体、かわいらしさの席捲とその劣化版の氾濫とのあいだに明瞭な断絶が見えないことを示唆するように思われる。少なくとも、ひとびとが「まだほとんど何も述べていない」ことについて何かを述べ始めたひとは、それをすでに終わりの相において見つめるひとなのであった。

滅びの予感

流行は始まったときにはもう終わっている――わたしたちが飽きるほど見知ったように思っているメカニズムは少なくとも十八世紀中葉、すでに暗示的であるぶんだけ十全に描かれていたわけだ。そして飛躍のあることを承知でいうなら、そのメカニズムを見通す視線は、同時代的な現象をすでに過ぎ去りつつあるものとして回顧的に捉えるような、どこか悲観に染まった時間意識とともに存している。かわいらしさは文明的な洗練の証しである、といいながら、その洗練が頽廃と紙一重であるのを見ずにはいられない。こうした意識のありようをいっそう明瞭に確認させる好個の証言者として、ルイ＝セバスティアン・メルシエを呼び出してみよう。

一七四〇年に生まれ、革命では危うい橋も渡り、一八一四年のルイ十八世即位を自身の死のほんの数週前に見届けたメルシエは、いかにも十八世紀的と形容したくなる多能多産の文人であるが、その代表作といってはやはり、十八世紀後半のパリを縦横に活写した都市ジャーナリズムの先駆け『タブロー・ド・パリ』(一七八一年、一七八二―八八年)であろう。全十二巻、一〇四八章に及ぶこの大作の第二五四章、ひときわ鮮烈に「パリの偶像、かわいらしさについて！」と題されたエッセイは、次のように切り出されている。

わたしが証明しようと思うのは、かわいらしさとは、あらゆるジャンルにおいて、美しさ、そしてさらには崇高さの完成態なのだということ、感じがよいことはすべてに立ち勝るのだということ、そして、自分たちがもっともかわいらしい国民だといえる民は地上で第一等の民なのだということである。*9

こんな具合に始まる一章はつづけて謳い上げる――「自由という亡霊を偶像のように崇拝し、そのために闘って死ぬような愚を犯す」古の時代は終わり、「まずは美が垣間見え」た。さらに「ひとびとは彫琢し、細工し、規則を作り、ついには趣味と繊細が到来して、千倍も魅惑的なかわいらしさを生み出す」。振り返れば美といっても結局は「哲学者の夢想」でしかなかったけれど、いまや「かわいらしさがあらゆる感覚に触れ」、あらゆる活動を支配し、「感じのよい、ただひとりの神」となって、ひとびとの「内なる能力を動かし、そのバネとなり、どれほど美しい事物を見てさえ得られぬ快活さをもたらす」[10]。長々と引用するに及ばない、このテクストは先に見たブレの項目に尾鰭をつけまくった拡大版のようなものだ。ということはまた——読者がすでに予想されているだろうとおり——、一文はやはり苦い急転によって卒然と閉じられるのである。最後の一段落をそのまま引いてみよう。

かわいらしい住居、かわいらしい家具、かわいらしい宝石、かわいらしい文学作品を有する、そして魅力的なたわいなさを熱狂的に讃美する幸福な国民よ、どうか、みなさんがご自身のかわいらしい考えのうちで長く繁栄を誇っていられますように、ヨーロッパからの愛をもたらすかわいらしい戯れ言をみなさんがなおも磨き上げられますように、そしていつでもすばらしく身なりを整えたまま、みなさんの軽薄なありさまをだらしなく揺さぶるかわいらしい夢からけっして目覚めることがありませんように[11]!

ブレのそれよりなお辛辣に、一国の滅びそのものを見越すかに思われるこの結語はなにゆえか。財政破綻が覆いようもなく深刻化し、三部会の招集を翌年に控えた危機の時代の空気を読み取るべきなのか。必ずしもそうと言い切れない。なぜといって、このテクストが最初に発表されたのは一七六九年、それも、かのバルト『かわいらしい女』のエピローグとしてであったのだから。

「男－女たちに向けて書こう」

そう、実のところ、メルシエのエッセイは、バルトの小説の掉尾に置かれていた「「かわいらしさ」という語についてのまじめな論文」という冗談めかした補遺を、ほぼそのまま再録したものなのだった。ふたりには親交があった。初出の時点からメルシエがバルトの名を借りて書いたのでさえあるかもしれないが、確言する材料がない。[*12] ただ、まちがいなさそうなのは、ブレにもあれ、バルトやメルシエにもあれ、かわいらしさを論じる者は、そこに頽廃、さらに破滅の予兆をつい見て取ってしまうというそのことだ。しかし、それ自体としてすでに明るいものでありえぬ破滅の予感は、「かわいらしさ」を発端とするとき、根底にいっそう仄暗いものを抱え込んでもいる。

メルシエはバルトの名で発表されたテクストをほぼそのまま再録した、と右に述べた。たしかにそうなのだが、かれは先に引用した冒頭段落の終わり、初出時には見られなかった短い一文を書き足している。「わたしはパリの男－女たちに向けて書こう」。[*13] 二十世紀の初頭、かのプルーストが『失われた時を求めて』で仔細に描いた「男－女（homme-femme）」を予告するような形象がこんなところに顔をのぞかせる。やはり十八世紀の流行語に、気取った伊達男を指す « petit-maître »（こなれないこと甚だしいが「小旦那」とでもすればよいか）があるが、「男－女」はいっそう露骨な意図をともなう。女のように着飾った男、女のように柔弱な男……。かわいらしさのうちに危機を見て取る感覚は畢竟、性的な境界とされたものが溶解してゆくことを忌避する感覚に連なるようなのだ。メルシエひとりがそうなのではない。一七六七年、ディドロは友人の画家ルイ＝ミシェル・ヴァン・ローによる自身の肖像を前に、こんな感想を漏らしている。

ディドロ氏。わたしだ。わたしはミシェルが好きだ。でも真実はもっと好きだ。とても似ている。〔…〕とても生き生きしている。かれの柔和さ、そこに快活さが加わった感じというのはこれだ。けれどもあまりに若いし、頭部が小さすぎる。女のようにかわいらしくて、物欲しげで、にこやかで、上品ぶって、口許が愛らしくて、気取っている。[*14]

ブレはかわいらしさのうちに真実に対する裏切り、偽りへの傾きを垣間見ていた。ここでもそれは見かけの類似のもとに偽りをくるんだ(ように見える)「気取り」であって、ディドロは自分に似た男、しかしまるで女のようである男の姿を、わずかではあれ遠ざける。以上の指摘をもってメルシエやディドロを一挙に断罪する気には率直なところならない(両者のいずれも、セクシュアリティとの関係は繊細な分析を求める書き手だ[*15])。だが、傑出してあることが明白な知性と感性の持ち主が漏らしたかわいらしさへの侮蔑、あるいは不信は書き留めておいてよい。

おわりに

思い過ごしなのかもしれない、さほどまで深刻に受け取らなくてよいのかもしれない。だが、そうなのか。かわいらしさをめぐる仄暗い感情が思いがけぬ残酷さにつながることはないのか。議論を拡げるための紙幅は尽きてしまった。はじまりでそうしたように、ひとつの文学的直観に訴えかけて、稿をしめくくろう。
革命の残酷を感動的なまでに暗々と描いたアナトール・フランス『神々は渇く』の半ば過ぎ、舞台は一七九三年、恐怖政治の真っ只中にある革命裁判所だ。主人公、若く混じり気なしのジャコバン派エヴァリスト・ガムランがその判事席に連なり、眼下に被告人たちを見渡している。

〔…〕判事たちは男と女を差別することなく、その点についてては正義による裁きと同じだけ古くからの原則に掻き立てられていた。〔…〕〔女たちは〕ほとんど全員が丁寧に髪を結い、その不幸な境遇が許すありったけの丹念さでもって装いを凝らしていた。だが、若い女は少なく、かわいらしい女はいっそう少なかった。〔…〕かれ〔ガムラン〕は革命裁判所の同僚の大半と同様、女は男より危険であると思っていた。[*16]

厳として三人称による記述であるが、引用前半についても主人公ガムランの主観が投影されたと読んでよかろう。そのかれの本職はうだつのあがらぬ画家であった。差別はしないのだといい、だが「かわいらしい女」が少ないと思い、ということはかわいらしい女を求め、そうしてなお結局「女は男より危険」であると感じる。職業的でもある美的判断と狂熱的でもある政治的判断と——その屈折した結託を簡潔に描出する小説家の筆に、かわいらしさの歴史を早送りで眺めたいま、改めて嘆息してよいと思うが、どうか。

註

*1 Pierre Choderlos de Laclos, *Les Liaisons dangereuses* [1782], *Les Liaisons dangereuses*, Paris, Gallimard, 2011, p. 19. 複数の日本語訳から、以下の清新なヴァージョンを挙げる。『危険な関係』桑瀬章二郎・早川文敏訳、白水社、二〇一四年、二一頁。ただ、ここでは本文との関係から拙訳による。以下同様。

*2 *Ibid.*, p. 20〔邦訳：二三頁〕

*3 ただ、紙幅の制約から註を逐次的に付すことはできないが、本稿は知見の多くを次のふたつの先行研究に負っている。Pierre Saint-Amand, « Le triomphe des Beaux : petits-maîtres et jolis hommes au XVIIIe siècle », *L'Esprit créateur*, t. XLIII, n° 3 (2003), p. 37-46 : Michel Delon, « Une catégorie esthétique en question au XIIIe siècle », Christian Mouchel et Colette Nativel (dir.), *République des lettres, république des arts. Mélanges en l'hommage à Marc Fumaroli*, Genève, Droz, 2008, p. 343-351.

*4 Nicolas Thomas Barthe, *La Jolie femme, ou la femme du jour*, Paris/ Amsterdam, Changuion, 2 vol., 1767.

*5 Laclos, *Les Liaisons dangereuses*, *op. cit.*, p. 43-44〔邦訳：五三―五四頁〕

*6 項目記事は多少の異同とともに「B氏」の筆になる連載『文学についての省察』の一環として『メルキュール・ド・フランス』一七六五年十二月号に掲載され、さらにブレの『著作集』第三巻に収められた（Antoine Bret, *Réflexions sur la littérature* [in] *Œuvres*, t. III, Paris, Lacombe, 1772）。

*7 同項目の引用はすべて以下に拠る。Denis Diderot et Jean Le Rond d'Alembert (dir.), *Encyclopédie* [1751-1772], t. VIII [1765], v° « joli » (p. 871-872).

*8 たとえば『日本語大辞典』（小学館）は「うつくしい」の語義に「美麗である。きれいだ。見事である。立派だ」のあることを指摘し、以下の用例を挙げる。「西京のそこそこなるいへに、いろこくさきたる木のやうたいうつくしきがはべるを」（『大鏡』六））。しかし同じ語がもちろん、小ささの醸すかわいらしさを含意することも言い添えておこう。たとえば「うつくしきもの、瓜にかきたる児の顔」（『枕草子』一五一）。

*9 Louis Sébastien Mercier, *Tableau de Paris*, t. III [1782], ch. CCLIV (« De l'idole de Paris, le joli ! »), Paris, Mercure de France, 1994, t. I, p. 635.

*10 Cf. *ibid.*, p. 636, 637, 639 et 642.

*11 *Ibid.*, p. 643.

*12 メルシエ自身は註で「この皮肉な一章はすでに発表されたことのあるものだが、その本来の位置はここ〔『タブロー・ド・パリ』〕である」とだけ述べている（*Ibid.*, p. 635）。付言すると、『タブロー・ド・パリ』第六二八章「四十歳の女」も、その記述の大半はバルト『かわいらしい女』の実質的な終章を引き写したものである。

*13 *Ibid.*, p. 635.

*14 Denis Diderot, *Le Salon de 1767* [1767], *Salon III. Ruines et paysages*, Paris, Hermann, 1995, p. 81.

*15 少なくともディドロについて、本来であれば『ダランベールの夢』（執筆一七六九年）で展開されるような複雑な性差論との比較対照が必要である。

*16 Anatole France, *Les Dieux ont soif* [1912], *Œuvres*, Paris, Gallimard, 4 vol., 1984-1994, t. IV, p. 540, 541〔邦訳：『神々は渇く』〕大塚幸男訳、岩波文庫、一九七七年、一九六―一九七、一九八頁〕

プロフィール

森元庸介（もりもと・ようすけ）
一九七六年生まれ。パリ西大学（現パリ＝ナンテール大学）博士（哲学）。東京大学大学院総合文化研究科超域文化科学専攻准教授。博士論文では近世のキリスト教道徳神学と演劇の関係を扱った。いまはフランスを中心とした思想史をとりとめなく研究している。

読書案内

▼佐々木健一『フランスを中心とする18世紀美学史の研究　ウァトーからモーツァルトへ』岩波書店、一九九九年

▽日本を代表する美学者・美学史家の博士論文。あえて（？）読者を限定するようなタイトルと裏腹に、註のすみずみまで風が通って、いつどこを読んでも、じんわり幸福な気持ちになる（joli——「綺麗」と訳されている——という主題についても本書の註のひとつで存在を知った）。自分は美学や芸術に関心がないと信じる方にこそお薦めしたい。

▼サイモン・メイ『「かわいい」の世界　ザ・パワー・オブ・キュート』吉嶺英美訳、青土社、二〇一九年

▽東京大学で教鞭を執ったこともある哲学者の、いかにも洒脱で軽妙で、けれど研究の蓄積と犀利な思考に裏打ちされたキュート論。キュートがここで垣間見たような「かわいらしさ」に還元されないことがよくわかる。読みどころは多々あるが、人間の関係を「力」のそれとして捉える近代の「特殊な」哲学の流れ（ホッブズからスピノザ、ニーチェを経てフーコーへ）にキュートを控えめに対置した一節がひときわ印象的。

▼藤子・F・不二雄「かわい子くん」（初出一九八〇年）、藤子・F・不二雄『SF短編PERFECT版』第七巻、小学館、二〇〇一年、三—二六頁

▽いかにもさえない二十歳男子とニューギニア帰りの若くさばけた女医が、不思議な媚薬の効果で思いがけず素敵に結ばれる（『トリスタンとイズー』の幸せな変奏？）。ステレオタイプの組み合わせと難じる向きもあるだろうか。だが、作家ならではの絶妙な運びに、定型と枠組みそれ自体がいつかふわりと宙に浮く。中盤、「かわいい」の発生機序を「絵説き」するくだりの興趣も、それだからこそ。

「作者の死」の歴史性

郷原佳以

「作者」はパリで殺された？

「作者――パリで殺され、イェールで防腐処置を施され、ケンブリッジで弔われた――が、このすばらしい本で、ひそかに、幽霊のように、蘇っている」（『ガーディアン』紙）[*1]。これは、一九九二年に刊行された『作者の死と復活』という本の第三版（二〇〇八）にイギリスの新聞が寄せた推薦文である。注目したいのは、「作者」をひそかに蘇らせたと称賛されているこの本の内容ではない。そうではなく、「作者」が「パリで殺された」ことが前提とされている点である。

言及された三つの地名については、次のように理解してまず間違いないだろう。「パリで」とは、一九六八年のパリにおいて、批評家ロラン・バルトが発表した「作者の死」という論文によって、ということであり[*2]、続く「イェールで」とは、そこで提示された「作者の死」概念が、フランスのみならず海を渡ってアメリカにおいて、とりわけ「脱構築批評」の牙城となったイェール大学において称揚されたということであり、また、「ケンブリッジで」とは、イギリスのアカデミズムにおいても同様の道筋を辿った、ということである。事実、「作者の死」は一九七〇―八〇年代を通して賛否両論を引き起こしながらもポスト構造主義のスローガンとして援用され続け、文学理論の動向に強い影響を与えた。しかし、その後、テクストに歴史、人種、ジェンダー、権力といったテクスト外的な要素を読み込む読解の有効性が認められるようになると、「作者の死」を厳密に守ろうとする読み方[*3]に疑問が生まれ、あまり積極的には掲げられなくなった。その代わり、当初の熱狂から距離をとったところで、「作者の死」をめぐる状況や文献を振り返ろうという動きが出てきた。その先駆けとなったのが冒頭のバークの著書であり[*4]、同書によって「作者の死」の呪縛は解けた、というわけである。

バルトの論文から半世紀が経ったいま、私たちが試みるのも「作者の死」の再検討である。しかし、本稿で焦点を当てたいのは、「作者」の復活ではなく、そもそも本当に「作者」は「パリで殺された」のか、である。実のところ、「作者の死」ほど、それを生み出したテクストから切り離されてひとり歩きさせられた概念も少ない。本稿では、原典に立ち返って、「作者の死」という論文が何をしているのかを、その歴史性に注目して検証してみたい。

「作者の死」の歴史性

「作者の死」とは、文学作品はそれを生み出した作者の来歴と切り離して読むべきであり、作品外の要因に作品解釈の正解を求めるべきではない、という思想である。しかし、私たちはあえて「歴史性」という観点をとって、以下の二点を示したい。第一に、「作者の死」という概念は上記のようなものだが、この概念を生み出した論文は、「作者」の登場およびその消滅の歴史を辿り、いわば「作者の不在」思想の系譜を描くことによって自らを歴史的に位置づけている。「作者の不在」という観

ロラン・バルト

念は、けっしてバルトが生み出したものではない。それを「死」というセンセーショナルな言葉で表したのがバルトであり、この言葉によってこそ「作者の死」は概念として広まったのである。そしてバルトが「死」およびいくつかの煽動的な表現を使ったことにも、文脈、つまり歴史的要因がある。第二に、バルトがそこで描いた系譜は必ずしも客観的で正確なものとはいえず、バルトが傾倒していた当時の新しい学問潮流に影響されたものであり、それは論文の結論にも響いている。よって、バルトが生きていた一九六〇年代後半の時代性を刻印しているという意味でも、「作者の死」という論文は歴史的である。

では、そこに刻印された一九六〇年代のフランスの時代性とはどのようなものであったか。この時期、フランスでは、サルトルらの実存主義に代わって台頭した構造主義が隆盛していた。構造主義とは、スイスの言語学者フェルディナン・ド・ソシュールが二十世紀初頭に「一般言語学講義」で提示した記号学を共通の参照項とし、人間の意識や観念は言語の次元に大きく左右されているという考え方に基づき、世界を実体ではなく、言語体系をモデルに差異の体系として捉え直そうとした運動であり、この考え方へのシフトのことを「言語論的転回」と言う。構造主義の対象は文化的事象全般にわたり、レヴィ＝ストロースの文化人類学、ラカンの精神分析学、フーコーの考古学などと並び、ソシュールの記号論を発展するかたちで文学理論の刷新を担ったのがバルトだった。[*5] 意識的にせよ無意識的にせよ、バルトはこの時代の思想潮流のなかで自らの文学論を育んだ。[*6] そのことは、「作者の死」という刺激的な表題や、「作者は近代の登場人物である」といった表現に表れている。こういった表現から、当時の読者が、直前に発表されたフーコーの大著『言葉と物』(一九六六)における「人間の終焉」といわれる思想を想起しなかったはずはない。フーコーは、有限性をもった存在としての「人間」が概念として現れてきたのは近代(十八世紀)以降のことでしかなく、十九世紀末から二十世紀にかけて言語の問題が重層的に浮かび上がるとともに「人間」は終焉を迎えようとしていると指摘したのだ。[*7]

「作者の死」の影響と背景

ここではまず、「作者の死」という論文の受容の特徴を大きく二つに分けて整理しておこう。第一に、テクスト外的な事情、第二に、文学研究における影響である。

テクスト外的な事情のひとつは、「作者の死」が一九六八年、すなわち、パリ五月革命の年に発表されたことである。学生や労働者による全面的な革命の空気のなかで、「作者の死」は反権威主義的なマニフェストとして受容された。ここで私たち非印欧語話者が意識しておかねばならないのは、印欧語では「auteur/author(作者)」という語はその語源(「auctor」)によって「autorité/authority(権威)」と結びついているということである。

もうひとつの事情は、「作者の死」がフランスで発表された翌年、一九六九年二月に、フーコーが

「作者とは何か」という講演を行ったことである（同年に論文として発表）。『言葉と物』を補足するかたちで、文化のなかで作者の固有名が果たしてきた機能を歴史的に分析するという内容だった。この講演で、フーコーが前年のバルトの論文を踏まえていることは言葉の端々から窺われる。しかしそれは、賛同を示すというよりも差異化を図ろうとしたものである。[*8] ところが、フーコーの意図は充分に伝わらなかった。バルトの論文に続く時期だったこと、また、導入部で「作者の失踪ないし死」[*9]が前提とされたことによって、フーコーの講演はバルトの論文に同調するものに違いないと考えられた。以来、「作者の死」概念がもち出されるときにはきまって二つの論文が典拠とされるが、フーコーの論文は、バルトの論文とひとまとまりにされることで、読まれなくなってしまった。[*10]

　次に、「作者の死」の文学研究における影響である。この点を明確にするには、「作者の死」が説いた二つの移行を押さえておかねばならない。第一の移行は、「作品〔œuvre/work〕」から「テクスト〔texte/text〕」へ、「作者」から「書き手〔scripteur/scriptor〕」へ、さらに「文学」から「書くこと＝書かれたもの（エクリチュール）〔écriture/writing〕」への移行である。バルトは同論文で、「作品」も「作者」も「文学」も作者の権威を前提としており、作者を頂点としたヒエラルキーを形成するため、ヒエラルキーと無縁で即物的な「テクスト」や「書き手」、「エクリチュール」という語で置き換えようと提案した。結果として、「テクスト」という語は文学研究において瞬く間に広まった。

　第二の移行は、テクストを創造し、その意味を産出する者の移行である。実証主義的文学観では、それはもちろん作者であった。バルトの「作者の死」が大きな驚きをもたらしたのは、その役割が作者ではなく「読者」に与えられたからである。「作者の死」は次のような一文で結ばれている。「読者の誕生は、「作者」の死によってあがなわれなければならないのだ」[*11]（八九）。本文中で唯一「作者の死」という言葉が出てくる箇所であるが、誕生と死が「あがなう」という神学的な概念で繋げられた強烈な一文である。今日の読者が、この二者択一ははたして必然的なものだろうか、と疑問を抱くとすれば、それはもっともなことである。しかし、結果として、「読者の誕生」のこのような宣言は、読者の自由、批評の自由を肯定し、文学研究における読書論の展開を後押しすることになった。

次に、バルト自身の文脈を二点確認しておこう。ひとつは、バルト自身が実証主義的研究の権威と論争をしたばかりだったということである。バルトは一九六三年に『ラシーヌ論』を発表したが、ラシーヌの専門家でパリ第四大学の教授であったレーモン・ピカールが『新しい批評（ヌーヴェル・クリティック）、または新しい欺瞞』（一九六五）という揶揄的な題のもとにそれを批判した。ピカールが則っていたのは、文学作品は作者の明晰な意図に基づいて創造されるという文学観である。バルトが則っていたのはそのような実証主義ではないが、しかし、『ラシーヌ論』という表題からもわかるように、当初は、作者の存在を無視することを考えていたわけではない。ところが、ピカールの批判を受けて、バルトは自らの読解の立場をいささか過剰に先鋭化させ、翌一九六六年に『批評と真実』を刊行した。翌年執筆される「作者の死」はこの論争の延長線上にある。

もうひとつの背景は、バルト自身が当時、自らの読書過程を分析するというかたちで読者を主役にしたテクスト分析に取り組み始めていたということである。その成果は「作者の死」の直後に『S／Z』（一九六八）として刊行された。これは、バルザックの中篇『サラジーヌ』を「レクシ（読書単位）」という独自の単位に分け、レクシごとに自らの読みを分析した類例のない試みであった。「作者の死」が『サラジーヌ』の一節で始まる所以である。

「作者の死」は何をしているのか

では、論文の読解に入ろう。まず、全体（七段落）の論旨を六段階に整理し、私たちの読解で焦点を当てたい箇所を明示しておこう。

一、バルザック『サラジーヌ』のある一節を「語っているのが誰か」を知ることが「永久に不可能」であるように、文学的テクストには〈誰が語っているのか定かでない文〉が存在する。そこに「あらゆる声、あらゆる起源を破壊する」「エクリチュール」（七九）の特性が現れている。

二、「物語られたもの」をめぐる中世から近代への歴史的変遷からわかるように、「作者」は「近代の登場人物」（八〇）にすぎない。にもかかわらず、現在でも「作者」は文学観や批評を支配している。

三、「作者」の支配を揺るがそうとしてきたフランスの作家・思想家たちは、〈マラルメ－ヴァレリー－プルースト－シュルレアリスム－言語学〉という系譜を成している。

四、「書き手」は「テクストと同時に誕生」し、「あらゆるテクストは永遠にいま、ここで書かれる」（八四）。それはオックスフォード学派の哲学における「遂行態（パフォーマティフ）」（八五）と同様である。

五、「テクスト」は単一的で神学的な意味に収斂することを拒否する、起源をもたない「引用の織物」（八五―八六）である。

六、「エクリチュールの本当の場」（八八）は、作者の創造ではなく読者の読書である。

以上の理路において、バルトは「作者の死」のある種の物語（ストーリー）を作っている。本稿で注目するのは、三でバルトが提示する系譜、および、その背景を成す四から六への展開である。三の系譜がはたして適切なものかどうか、批評的な視点で検討してみよう。

バルトの系譜は妥当か

バルトは、「ある作家たちは、すでにずっと以前から、その〔作者の〕支配を揺るがそうと努めてきた」と述べ、「フランスでは」（八一）と系譜を描き始める。[*12] 系譜の第一の登場人物は象徴派の詩人ステファヌ・マラルメである。「おそらく最初にマラルメが、それまで言語の所有者とみなされてきた者を、言語そのものによって置き換えることの必要性を〔…〕予測した。彼にとっては〔…〕語るのは言語であって作者ではない。〔…〕マラルメの全詩学は、エクリチュールのために作者を抹殺することにつきる（ということは、これから見るように、作者の地位を読者に返すことだ）」（八一―八二）。「抹殺」とは強い言葉であり、「詩人は主導権を語群に〔…〕譲る」[*13]と述べたマラルメから距離があるように思われるが、これも、フーコー『言葉と物』におけるマラルメの援用と似通っている。[*14] 問題は、最後の括弧のなかである。マラルメの詩学は本当に「作者の地位を読者に返すこと」に存するのだろうか。マラルメに即して言えば、そのようなことはない。「個人性が消去されて、その本は、ひとが著者としてその本から離れると同じに、読者の接近を求めはしないのである」[*15]と書いたマラルメにあって、

ポール・ヴァレリー

ステファヌ・マラルメ

書物の自律性は読者も寄せつけないものである。

第二の登場人物はマラルメの高弟ポール・ヴァレリーである。「ヴァレリーは〔…〕「作者」を疑い嘲笑することをやめず〔…〕文学の本質的に言語的な条件を擁護した。この条件に比べれば、作家の内在性に頼ることはすべて、まぎれもない迷信であると彼には思われたのである」（八二）。確かにヴァレリーにとって、作家の伝記的詳細などは二次的なものにすぎず、真の文学史には作家の名前さえ必要なかった。なぜかといえば、ヴァレリーにとって、傑作とは言語それ自体であって、個々の作家は、言語という巨大な結合関係のなんらかの可能性を汲み出しにやって来る者にすぎないからである。[*16]

第三の登場人物は長篇小説『失われた時を求めて』を書いたマルセル・プルーストである。「プルースト自身は〔…〕作家と作中人物との関連を容赦なくかき乱すことに努めた」（八二）。『失われた時を求めて』では、主人公マルセルの語りで過去が回想され、彼が作家になろうとするまでが描かれるが、バルトによれば、この小説は作者を取り巻く現実をモデルにした虚構なのではなく、小説こそが現実のモデルなのだという。作家の人生が作品の父であるという観念がこうして否定されるわけだが、具体的なテクスト分析によって示されるわけではない。なお、言及されてはいないが、プルーストをこの系譜に入れるとき、バルトの念頭には、批評「サント゠ブーヴに反論する」もあったことだろう。サント゠ブーヴは「人と作品を切り離さない」ことを旨とした実証主義の批評家だが、プルーストはその方法論に反対し、「一冊の書物は、私たちがふだんの習慣、交際、さまざまな癖(へき)などに露呈させているのとは、はっきり違ったもうひとつの自我の所産なのだ」[*17]と主張した。

第四の登場人物は個人ではなく、詩人アンドレ・ブルトンを中心に興った二十世紀最大の芸術運動、シュルレアリスムである。「シュルレアリスムは〔…〕予期された意味をとつぜん裏切ることをたえず勧め、頭脳さえも知らないことをできるだけ素早く書き取る任務を手に負わせ(これが自動筆記法である)、数人でおこなうエクリチュールの原理と実験とを受け入れることによって、「作者」のイメージを非神聖化することに貢献した」(八三)。自動筆記(オートマティスム)とは、できるかぎり意識のコントロールを放棄して、複数の人の手から言葉なりデッサンなりが生み出されるようにする方法であり、代表的な試みに、ブルトンとスーポーによる『磁場』や『溶ける魚』、シュルレアリストたちが参加した「甘美な死骸」という遊戯などがある。

私たちがもっとも注目したいのは第五の登場人物である。とはいえ、それは人物でも芸術運動でもなく、「言語学」である。「ごく最近、〔…〕言語学が「作者」の破壊に貴重な分析手段をもたらした。〔…〕言語学的には、作者とは、単に書いている者であって、決してそれ以上の者ではなく、またまったく同様に、わたしとは、わたしと言う者にほかならない」（八三）。バルトは名を挙げていないが、ここで彼が誰を参照しているのかは明らかである。それは、比較文法および一般言語学、とりわけ発話理論の立役者、エミール・バンヴェニストである。というのも、バンヴェニストは「言語における主体性について」という論文で次のように述べていたからである。「言語において、そして言語によって、人間は自らを主体として構成する。〔…〕「我（われ）」と言う者が「我（われ）」なのである」*18。言葉を語る前の人間の意識に主体性があるのではなく、発話によってそのつど初めて主体性が生起するというこの命題は、言語論的転回を支える画期的な主体論として、当時、高く評価されていた。

「読者の誕生」の意味

あらためてここまでの系譜を振り返るなら、なるほど、言葉に先行する主体としての作者を消去する思想という意味で、マラルメから言語学までの五つに一貫性を見ることはできよう。しかし、言語学に至って、マラルメに「読者」への道を見いだすという強弁の意味も理解されるのである。というのも、その後にバルトが行うことは、この言語学のモデルで「書くこと」を説明し直すことであり、そこで「書くこと」は「読むこと」に重ね合わされるからである。

前記の要約の四において、バルトは、「言語学者たちがオックスフォード学派の哲学にならって遂行態（パフォーマティフ）と呼ぶもの」（八四—八五）を参照する。これは、ジョン・L・オースティンという言語学者の創始した言語行為論（スピーチ・アクト・セオリー）のことで、当時、フランスにはバンヴェニスト経由で導入されていた。遂行態とは、「私は明日ノートを持ってくることを約束する」など、発話することが事実の記述ではなく、行為（約束、命名、誓約、賭け、等々）の遂行であるような言葉のことである。[*19] バルトは先述のバンヴェニストの発話理論を言語行為論と重ね合わせて理解したうえで、「書き手（スクリプトゥール）」は「テクストと同時に誕生」し、「あらゆるテクストは永遠にいま、ここで書かれる」（八四）と明言する。これは、一見すると謎めいた宣言だが、最終段落までくると、その意味が鮮明になる。テクストが書かれる「いま、ここ」とは、読者がそれを読む「いま、ここ」のことなのである。読者が読むその瞬間に、テクストは新たに立ち上がり、読者は主体となる、というわけである。その前段で「テクスト」の多元性を高らかに謳っていたバルトが、最終段落では平然と「多元性が収斂する場がある」（八八）、「テクストの統一性はテクストの起源ではなく、テクストの宛て先にある」（八九）と述べる。このとき、発話理論および言語行為論の読書への応用は明らかである。「読者の誕生は「作者」の死によってあがなわれなければならないのだ」（八九）という過剰に闘争的な一文でこの論文が締め括られねばならなかったのも、結局のところ、「収斂」や「統一性」の主体が問題になっているからである。しかし、「作者の死」が『言葉と物』のロジックを受け継いでいることを思い出すならば、「作者」が近代の登場人物として消滅を迎えるのなら、その「死によってあがなわれ」て「誕生」するような「読者」も、早晩やはり消滅を迎えるしかないだろう。[*20]

　このように、一見すると独創的に見える「作者の死」概念も、さまざまな同時代の思潮を組み合わせて作られたひとつの物語（ストーリー）であることがわかる。ある意味では、「作者の不在」の思想はバルト以前から連綿と存在しており、バルトは発話理論を読書に応用することで読者を作者として誕生させたとも言えるのだ。したがって、「作者はパリで殺された」と言えるかどうかは定かではなく、また、「作者の死」には歴史性が刻印されている。

註

＊1 Seán Burke, *The Death and Return of the Author. Criticism and Subjectivity in Barthes, Foucault and Derrida*, Edinburgh University Press, 1992, 1998, 2008, back cover.

＊2 厳密にいえば、「作者の死」と題された論文が最初に発表されたのは一九六七年、英訳でアメリカの雑誌においてであったが、世界的な受容の契機となったのは一九六八年秋のフランスの雑誌での発表である。

＊3 アントワーヌ・コンパニョンは、厳密な意味で背後に作者の存在を前提としない読解は不可能であり、バルザックの中篇『サラジーヌ』の厳密な内在的読解といわれるバルト自身の『S／Z』でさえ、ある箇所でバルザックの他の作品およびバルザックの名を読解の根拠としてもち出しており、完全には作者の意図を無視しえていないと指摘している。『文学をめぐる理論と常識』中地義和・吉川一義訳、岩波書店、二〇〇七年、八一―八三頁。

＊4 バークの著書の主旨は、バルトの「作者の死」という論文が、当時の批評において現実に存在していた作者崇拝を批判したというよりも、仮想敵に対して「死」を宣告することで、却って抽象的な〈作者〉の存在を浮き上がらせており、また、その後、バルトは別のかたちで作者を復活させている、というものである。

＊5 初期のバルトは、あらゆる物語に共通する構造を解明するという方向で探究を行っていたが、「テクスト」という語が前景化し始める「作者の死」の頃に、構造主義からポスト構造主義へと移行するようになる、というのが定説である。ポスト構造主義とは、記号論をさらに発展させ、言語を静態的な構造としてではなく、諸要素がたえまなく相互に作用を及ぼし意味をずらし続ける「網状体」（テリー・イーグルトン『文学とは何か』大橋洋一訳、岩波書店、一九九七年、二〇一頁）と捉える潮流だが、一枚岩ではなく、基本的に英米圏での呼称である。

＊6 バルトの「作者の死」はあくまで文学作品に関わるものであって、言語論的転回の思想とはあまり関係がないという見解も出されているが（石川美子『ロラン・バルト』中公新書、二〇一五年、七八―八二頁）、一面的にすぎるように思われる。

＊7 「比較的短期間の時間継起（クロノロジー）と地理的に限られた截断面――すなわち、十六世紀以後のヨーロッパ文化――をとりあげることによってさえ、人間がそこでは最近の発見であるという確信を人々は抱くことができるに違いな

い。〔…〕人間は、われわれの思考の考古学によってその日付けの新しさが容易に示されるような発見にすぎぬ。そしておそらくその終焉は間近いのだ。」ミシェル・フーコー『言葉と物』渡辺一民・佐々木明訳、新潮社、一九七四年、四〇九頁。

*8 「作者は消滅したといたずらに空虚な断定のように繰り返すだけでは充分ではない。同様に、神と人間とは相抱いたまま同じ死を選んだと際限なく繰り返すだけでも充分ではない。」ミシェル・フーコー「作者とは何か」清水徹・根本美作子訳、『フーコー・コレクション2』ちくま学芸文庫、二〇〇六年、三八五―三八六頁。

*9 同前、三八一頁。

*10 Jane Gallop, *The Deaths of the Author*, Duke University Press, 2011, p. 385-386.

*11 ロラン・バルト「作者の死」『物語の構造分析』花輪光訳、みすず書房、一九七九年。以下、この論文の参照頁は本文中括弧内に記す。訳語は一部変更させていただいた。

*12 もしこの留保がなかったならば、一九一〇―三〇年代にロシアの文学研究者や言語学者によって興ったロシア・フォルマリズムと、一九四〇年代にアメリカで興った新批評(ニュー・クリティシズム)もこの系譜に加えられるべきだっただろう。とりわけ前者はフランスの構造主義文学理論の大きな支柱となったのだから、なおさらである。また、フランスに限るにしても、この系譜をより説得的なものにするには、少なくとも、詩人アルチュール・ランボーと批評家モーリス・ブランショは必要だっただろう。ランボーは、「私は考える、というのは誤った言い方です。ひとが私において考える、というべきでしょう。〔…〕私とは一つの他者なのです」と書き(『ランボー全集』青土社、平井啓之ほか訳、青土社、二〇〇六年、四三二頁、一部訳語変更)、そのような「他者」となることを詩人たる自らの使命と考えた。ブランショは、「〔書くときに〕彼のなかで語っているのは、なんらかのかたちで彼がもはや彼自身でなく、もはや既に何者でもない、という事実である」(『文学空間』粟津則雄・出口裕弘訳、現代思潮社、一九六二年、二〇頁)と述べ、そのような書く営み(エクリチュール)について探究し続けた。

*13 「詩の危機」松室三郎訳、『マラルメ全集II』筑摩書房、一九八九年、二三七頁。

*14 「だれが語るのか? というこのニーチェの問いにたいして、マラルメは、語るのは、その孤独、その束の間のおののき、その無のなかにおける語そのもの〔…〕と述べることによって答え〔…〕マラルメは〔…〕おのれ固有の言語(ランガージュ)から自分自身をたえず抹殺しつづけたのである」(『言葉と物』、三二四―三二五頁)。

*15 「書物はといえば」松室三郎訳、『マラルメ全集II』、二五一頁。

*16 以下を参照。「コレージュ・ド・フランスにおける詩学教授」『ヴァレリー集成III』田上竜也・森本淳生編訳、筑摩書房、二〇一一年。

*17 「サント゠ブーヴに反論する」出口裕弘・吉川一義訳、『プルースト評論選I』保苅瑞穂編、ちくま文庫、二〇〇二年、三〇頁。

*18 エミール・バンヴェニスト『一般言語学の諸問題』岸本通夫監訳、みすず書房、一九八三年、二四四頁。訳語は一部変更させていただいた。

*19 J・L・オースティン『言語と行為』飯野勝己訳、講談社学術文庫、二〇一九年。

*20 読者重視の思想が矛盾に陥ってしまうことについては、コンパニョンの前掲書の第四章「読書」を参照。

プロフィール

郷原佳以（ごうはら・かい）
一九七五年生まれ。パリ第七大学博士課程修了。東京大学大学院総合文化研究科言語情報科学専攻准教授。
専門はフランス文学、文学理論。著書に『文学のミニマル・イメージ　モーリス・ブランショ論』（左右社、二〇一一年）、訳書にエレーヌ・シクスー／ジャック・デリダ『ヴェール』（みすず書房、二〇一四年）など。

読書案内

▼ロラン・バルト『物語の構造分析』花輪光訳、みすず書房、一九七九年
▼ロラン・バルト『テクストの快楽』沢崎浩平訳、みすず書房、一九七七年
▼J・L・オースティン『言語と行為』飯野勝己訳、講談社学術文庫、二〇一九年

▽本稿で示したかったのは、流通する言説やイメージを鵜呑みにせず、テクストを批評的に読むことの重要性である。ここに挙げたような著作については、概説書に頼らず、まずは自分で読み、味わってほしい。

ことばの理解を科学する
――心理言語学的アプローチ

広瀬友紀

心理言語学とは

本稿では、言語学、なかでも言語学の下位分野として位置づけられる心理言語学について紹介していこう。「言語学を勉強している」という人に「じゃあ何カ国語しゃべれるの？」と訊ねたくなったり、あるいは「心理言語学」と初めてきいて、「私の話し方から私の心が読めるってことか？」とつい思ってしまう方にぜひ読んでいただきたい。

食べたり飲んだり歌ったり走ったり。普段あたりまえのようにできている営みだけど、それって自分はいつの間に、どうやってできるようになったのだろう。今自分にそれが簡単にできているのは事実だ。けど、どういうしくみでそれが可能なのだろう、それらのことができるのは我々の脳が何を知っているからなのだろう。ふと、そんな問いを持ったことはないだろうか。

言葉を使うこともそうした不思議のひとつである。日本語母語話者であれば意識するまでもなくとくに日本語はマスターしているので、視覚を通して得られる文字列や、聴覚より得られる音の連続のなかに難なく単語を見いだし、それらの集合を意味のある文として頭の中で構築・再生し、意味を解釈できる。しかも、読んでいる・聞いているその途中・最中にリアルタイムかつ迅速に、わざわざ意識に上らないほど自然な営みとしてそれは行われる。結果としてできている、我々は母語を使いこなしている、ということに対して、改めてそのしくみに迫ろう、というのがここでいう「ことばの理解を科学する」という試みで、心理言語学という研究分野の中心的な一部（言語「処理」）である。

言語を理解するために我々の脳は何をしているのか

人間が言葉を理解する（発信者の意図を理解する）には、どのような情報処理の段階があるだろうか。我々が実際に入力として接するのは、書かれた文字や、音声の連続である。たいていの場合人間は自力で、入力の中に何という単語が使われていたかを、頭の中の辞書を参照しつつ割り出す作業が必要となる。それでは、単語を特定するまでにはどのような情報処理が必要となるだろうか。ひとまずここでは音声を介した言語理解に絞って考えてみることにする。

音声・音韻レベルでの処理

まずは耳に入ってくる音声入力の中の単語を割り出す前の段階で、そこに何という音、正確には「音素」（その言語内で独立したものとみなされる音の最小単位）が使われていたかという処理が必要である。音素のレパートリーは言語によって異なるため、聞き手はまずそもそも自分の言語における音素は何なのか・いくつあるのかという知識を習得していることが前提となる。この結果、例えば［l］と

［r］は、日本語では同一の音素として処理され、英語では別々の音素として処理されることになる。

入力の中にどんな音素が使われていたかが特定できれば、そこから直接単語の特定につながるかというと、研究者の間では意見が分かれている。音素のレパートリーが言語によって異なるように、言語音のリズム単位も言語によって異なり、人間の音声処理においては母語で使われるリズム単位ごとに音素をまとめていくという段階を経るとの見方が主流である。この「リズム単位」とはどのようなものだろう。我々にとって身近な日本語でいえば、俳句や和歌のように五・七・五もしくは五・七・五・七・七という定型を構成する単位（何をもって五とか七とか数えるのか）と考えれば実感しやすい。この単位を「拍」または「モーラ」という。子音＋母音もしくは、母音ひとつが一モーラ、つまり仮名一文字に対応するが、特殊ケースとして「ん」（撥音）、「っ」（促音）、「ー」（長音）も一モーラであるため、句を詠む際の五や七にも数えられる。句を詠むだけでなく、このリズム単位を用いて、私たちは耳から入ってくる音声の連続に対して「分節」（適切な単位にまとめて切り出す）を行っているのである。日本語では前述のとおりモーラ単位で分節が行われる一方、リズム単位としては音節が機能している言語のほうがむしろずっと多く、そこでは子音＋母音＋子音でひとつの単位となることができたり、またそこで用いられる子音も複数連続する場合もある（音節のなかのレパートリーも言語によって異なる）。そうすると同じ音の連続の入力に対して、サ・ン・バ　と三単位（三モーラ）に区切る言語とsam・baと区切る言語が（あるいはさらにそれ以外のパターンも）存在しうることになる。

このように考えれば、物理的には同じ音声入力を得ても、その人の母語の仕様によって、処理結果が異なる、つまり「今何と聞こえたか」という判断が違ってくるところが人間の言語処理の面白いところである。こうした点については、数々の言語間比較研究が行われており、以下に筆者が関わった実際の心理言語学実験研究を紹介する。

実験――モーラで聞くか、音節で聞くか

前述のとおり、日本語話者は入力された音声を、子音＋母音もしくは、母音ひとつからなる、つまりカナ一文字に対応するモーラという単位で言語音を切り出している。そして当然、日本語はモーラ単位で切り出せるようにできているのだが、外国語の音声を聞くときはどうだろうか。例えば英語のstrike /straik/ のように子音が連続したり、子音で終わったりするような音節でできている語もある。外来語としてこうした語を取り入れた際、日本語仕様のモーラ単位での分節は不可能となる。こうした入力（主に外国語）は日本語では、存在しない母音を補う（母音挿入・epenthesis）ことによってモーラ単位での分節に適応させている。つまり、日本人訛りの英語の特徴とされるsu.to.ra.i.ku のようないわゆるカタカナ英語的な発音は、「そうしないと発音できないから」ではなく、耳で聞く知覚の段階ですでにそのように修正されているからということになる。このことは日本語（モーラで分節）とフランス語（音節で分節）の母語話者を比較した研究[*1]で示されている。

図1の黒い棒グラフの部分に、無意味単語の対（例：ebzo vs. ebuzo）を使い、両者を弁別（聞き分ける）させる課題を行った結果が示されている。左側は反応時間、右側は誤答率のグラフである。フランス語話者に比べ日本語話者においては、ebzo vs. ebuzo の聞き分けにはより反応時間がかかり、かつ誤答も多いことがわかる。これは、ebzo の入力においては知覚の段階ですでに母音 u を補って、モーラ単位に分割可能な形（e.bu.zo）に修正して処理していることを表している。

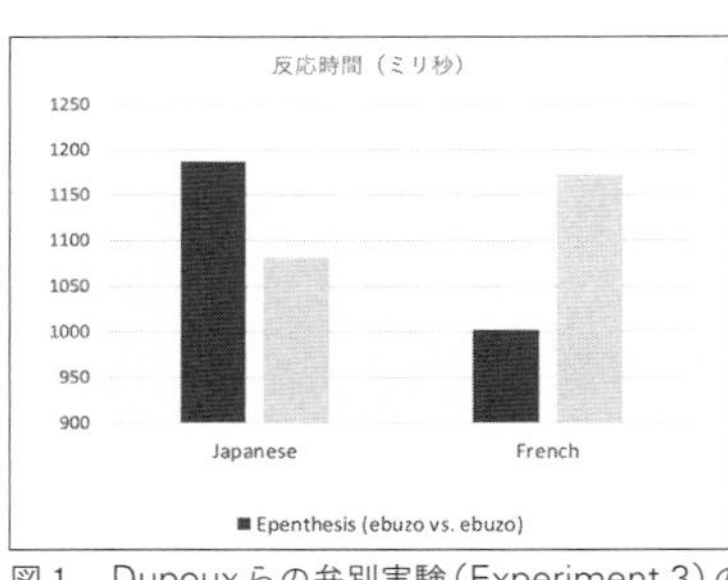

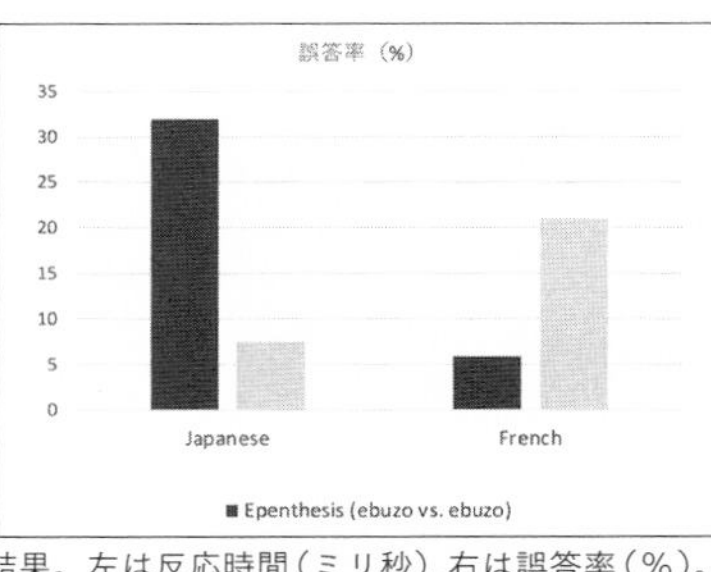

図1　Dupouxらの弁別実験（Experiment 3）の結果。左は反応時間（ミリ秒）、右は誤答率（%）。

ところで本実験では、ebzo vs. ebuzo以外に、母音の長短が異なるペアebuzo vs. ebuuzoも用意されており、その結果は図1の白い棒グラフに示されている。日本語母語話者にとっては、前者は三モーラ（e.bu.zo）、後者は四モーラ（e.bu.u.zo）に分節するため両者の違いは容易に検出できるが、母音の長短の対立を持たない言語においては、日本語よりも両者の聞き分けが困難であることがわかる。フランス語ではebuzoもebuuzoも音節数としては同じだからである。

このように、全く同じ音声入力においても、それを分節する単位が言語によって異なるため、「どのように聞いたか」の結果が異なるのは興味深い。なお、モーラ単位のリズムは日本語においては後天的に習得されるもので、生まれたときは個別言語の違いに関わらず、音節がユニバーサルな単位であることがさらなる研究によって示唆されている。

単語の認識——頭の中の辞書を引く

ここまで、音のレベルでの処理（どんな音素が入力されたか、またその入力はどのようなリズム単位を構成しているか、等）について話題としてきた。次の段階としては、音声入力によって得られた情報をもとに、今聞いたのは結局なんという単語（の一部）なのかを特定する作業が必要となる（単語認識）。このためにはそもそも我々の脳内の知識として、その言語の語彙情報、つまり自分だけの辞書のようなものが頭の中に格納されていることになるが（収録語数は人によって異なるだろう）、その辞書はどうやって引くのだろう。普段使っている国語辞典や英和辞典を引くイメージとはだいぶ違いそうである。

音声を聞いて処理する場合ならばひとつひとつの音素の情報から候補を絞っていくことになろうか。そこでは先ほどの「リズム単位」のまとまりは何らかの役割を担っているのだろうか。また、実際に入力として得られる音声情報以外に、この辞書引き作業を手助けするような要素はないのだろうか。例えば文脈から「たぶん次はこういう意味を持つ語が得られるはず」といったような予測や推論や、あるいはある単語の頻度や特定の語の後での出現確率情報的なもの等、実際の入力の中に得られる情報ではないが情報処理のされかたに影響を与えそうな要因の働きについても研究者の間で様々な考え方が提案されている。これら単語認知の数々のモデルを網羅的に紹介することはここではできないが、次節では、日本語特有のアクセント情報（自分の話す日本語（の方言）で箸vs.橋vs.端が全く同じ発音となるわけでないならその違いがアクセントである）が、単語の特定や語の構造の処理において予測的に働くという、筆者が関わった研究例を紹介する。[*2]

実験――単語／複合語の予測処理　リンゴジュースvs.ミカンジュース

「語」とひとくちに言っても、それ以上分けられないもの（例：「りんご」だと一形態素）からなるもの、あるいは接辞と語幹が合体したもの（例：「非・現実・的」だと三形態素）、そして、複数の「語」が合成されてできた「複合語」と呼ばれるものがある（例：オレンジ＋ジュースで「オレンジジュース」）。複合語の状態ですでに辞書に載るほど認知されているものも多数あるが、全く新しい組み合わせで新規複合語を自由に造ることもできる（このように言語の規則に則って新しい形の生成が可能であることを「生産的」ともいう）。

複合語生成が生産的なのであれば、ある語（例えば、みかん）を聞いた瞬間、それが単独で単語なのか、複合語の一部であるのかは、続きを聞かなければ常にわからないことになる。同様に、複合語の前半部分だけ入力された時点では、聞き手はそれが単独の語なのか、複合語の一部なのか判断できなくてあたりまえということになろう。

ただし、日本語名詞複合語の形成においては、複合語アクセント規則という決まりがある。ここでは東京方言の話に限るが、単独の語であれば「**み**かん」（太文字の部分が、下降型とよばれるアクセント型の中の高く発音されるアクセント核の位置を示すことにする）だったり「**ジュ**ース」「た**ま**ご」だったりと、日本語ではそもそも単語ごとにアクセント型が決まっているが、例えば「**み**かん」と「**ジュ**ース」からなる複合語においては、複合語全体としてのアクセント形が再計算される。この結果「**み**かん」と「**ジュ**ース」を単独で発音した場合とは異なる、「みかん**ジュ**ース」というアクセントで発音される。つまり、単独の「**み**かん」と、「みかんｘｘ」という複合語の一部としての「みかん」は発音が異なるということがおわかりだろうか（「**み**かん」にもともとあったアクセント核が削除されている。方言によって異なるかもしれないがここはひとつ東京方言話者のつもりになってみてほしい）。

面白いことに、この複合語アクセント規則が適用される前と後で、アクセントパターンが表面上変化しない場合もある。例えば「りんご」と、「りんごジュース」の一部としての「りんご」。「りんご」

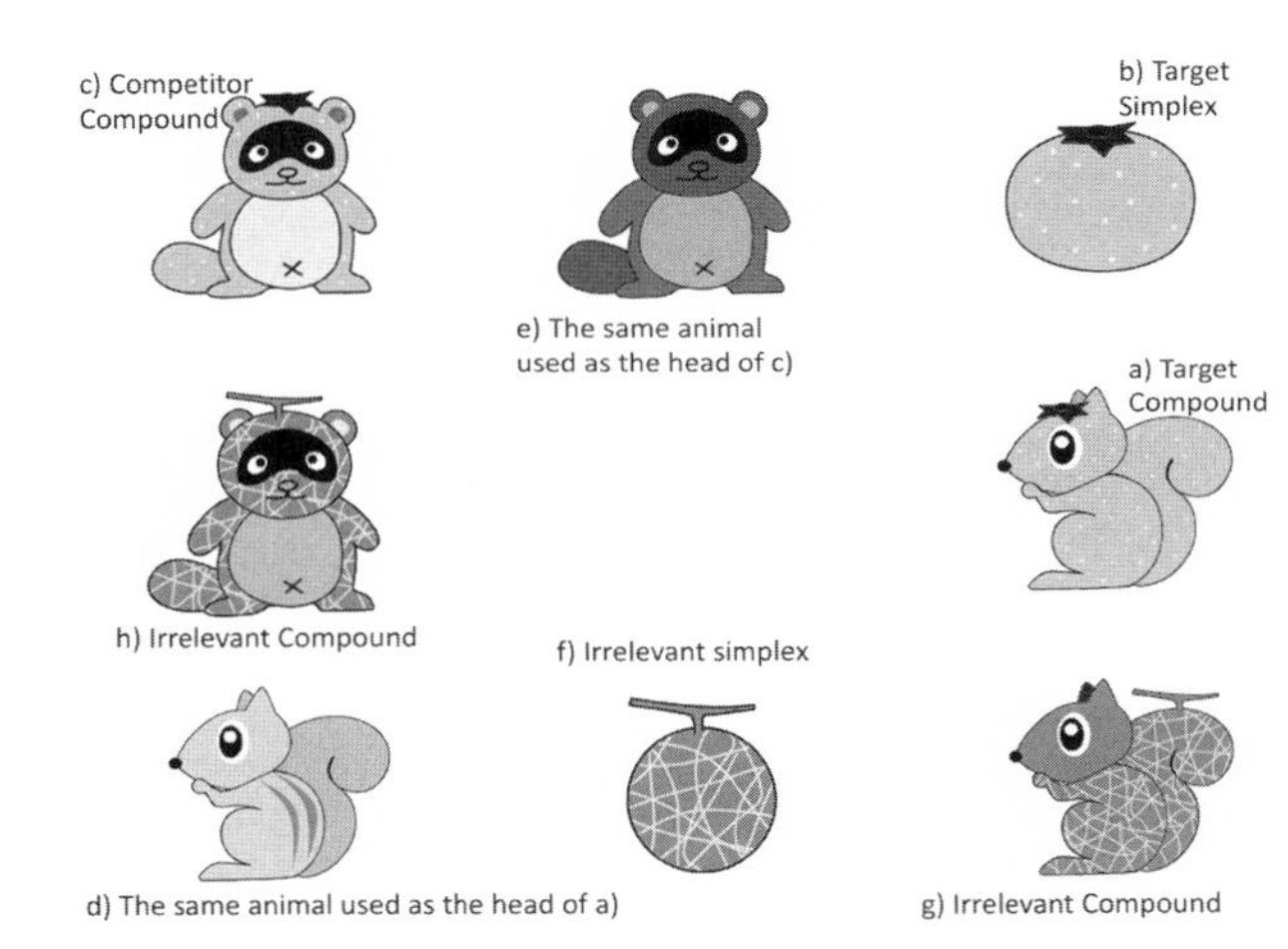

図2　Hirose and Mazuka (2015) の実験で用いられた画像の例。「みかん…」という音声入力の時点で、「みかん」という単独語が正解の候補であれば右上のb)の絵に、また「みかんｘｘ」という複合語（ここでは架空の動物）が正解の候補であればa)やc)の絵に視線が集まることが想定されている。

は東京方言ではもともとアクセント核のない平板型なので、アクセント核を削除されることの影響が表面化しないのだ。

この差を利用して、母語話者は「アクセントが変化した」という情報をいかに積極的に情報として用いて、入力された名詞が実は複合語の一部であることを予測できるかを検討する実験が、視線計測装置を用いて行われた。被験者は例えば図2のような画像（実在する野菜・果物・動物に加え、それらが合体した架空の動物も登場するという設定）が提示された状態で「みかんりすはどこ？」「みかんはどこ？」などの質問をきいて該当する絵をクリックする。音声をきいてからどれかをクリックするまでの視線が記録され、八つのうちのどの絵をどの時点でどれくらいの割合見ていたのかがデータとして分析された。

この結果、「みかんりすはどれ？」という入力であれば「りす」という部分をきくより前の段階で、b）のような単独の果物よりa）やc）の架空動物により視線が集まることがわかった。一方、「りんごコアラはどれ?」のような場合はそのような予測アドバンテージは見られなかった。これは、単独語としての「りんご」と、複合語の一部としての「りんご」に表面的なアクセントの違いがないため、予測に用いるべき情報がないためだと考えられる。このことから、日本語での「音声入力内に語を特定する」という処理においては、単語毎のアクセントが本来どのようなもので、それが複合語形成においてどのような変化をするはずであるかという知識を用いた予測処理が行われていることを示すものである。

構造レベルでの処理

入力の中にどのような単語が使われているかがわかったとして、それら単語同士がどのような関係にありどのような「構造」（統語構造）を作っているのかを割り出さなければ意味解釈を得ることはできない。簡単な例だと「新しい自転車のタイヤ」と言う場合「新しい」が自転車にかかるのかと思いきや、実は「（自転車の）タイヤ」が新しいのであって自転車本体はボロボロだったよ、ということもあるかもしれない。これは、フレーズを構成する三つの要素が二通りの階層構造を取り得るからである（図3）。

もしくは「警察は自転車で逃げた酔っ払いを追いかけた。」という文についても、「自転車で逃げた」のか「自転車で追いかけた」のか、二通りの解釈が生じる。これは「ハシっていうけど、箸なのか橋なのか」という単語レベルの同音異義語に関わる問題ではなく、「自転車で」という要素が文中

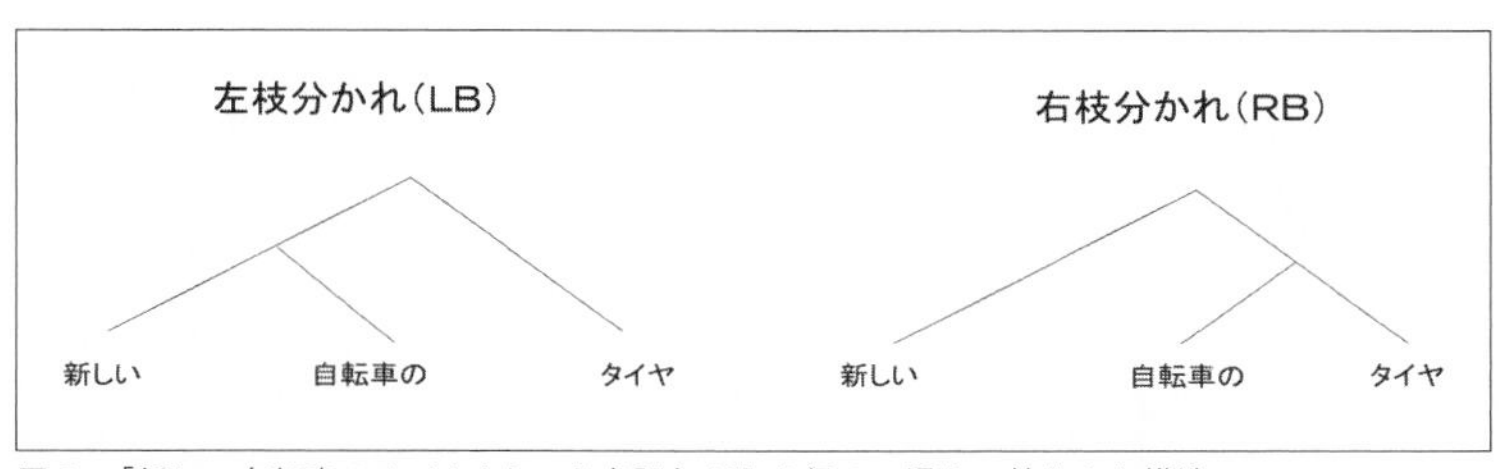

図３　「新しい自転車のタイヤ」という名詞句が取り得る二通りの枝分かれ構造

の他のどの要素とより密接にまとまるのか、つまりどのような構造的な位置を「自転車で」が占めるのかということに起因するのである。

しかも、人間の文理解の実態としては、文全体を眺めてからおもむろに解釈を始めるわけではない。常に、その都度その都度入力された語に対して、構造上の位置を割り出していかなければ、我々が普段行っているようなリアルタイムの解釈は追いつかないはずである。人間はすべからく、まだ入力されていない要素を予測しながら、部分的な入力情報を頼りに構造を予め準備しながら解釈を生み出していることになろう。

そうすると当然、予測が外れることもある。以下は実際にあった新聞見出しである（ただし駅名と人名は仮名）。

ＪＲ篠州駅近くの歩道で、警察官が女子高生をトイレに連れ込んだＪＲ車掌の山田容疑者に飛びつき、押さえ込む

おそらく誰もがこれを読んでいる最中にすでに「何!?　警察官が女子高生をトイレに連れ込んだだと!?」と反応するだろう。後のほうまで読めば、不届き者は車掌だということがわかるが（それはそれで由々しき事態だが）、上記のような早とちりが普通だということは、我々はそれぞれの単語間の構造が明らかになる情報を待たずに、不完全な情報を基に構造を先取りし

て割り出そうとしていることを示してくれる。

特に日本語は、文のなかでも動詞が最後だとか、関係節が修飾する名詞句が「先行詞」でなく「後行詞」である（上の例でいうと、関係節部分は「女子高生をトイレに連れ込んだ」で、「ＪＲ車掌の山田容疑者」がその修飾対象、いわば「先行詞」ならぬ「後行詞」である）など、本来最後まで待たなければ正しく解釈できないような語順を特徴とする言語である。しかしながらこのような言語でも、母語話者同士では日常的にリアルタイムでそこそこ迅速なやりとりができているということは、我々の「構造処理における予測」「予測が外れたときのバックアップ（再分析）体制」はよほど高性能なものであるに違いない。

意味解釈に至るには

実は、正しい構造を割り出しさえすれば必ず自動的に正しい意味解釈に到達し、話し手書き手の意図が理解できる訳ではない。とある状況や文脈である文を発した際に、それがどういう意味であるかがその状況や文脈によって異なってくる場合もある。「今何時かわかりますか？」と聞かれて文字通り「はい／いいえ」で答えることが期待されていないことは明らかだろう。本当はこうした場合は時間を答えることまでが求められているのだ、と理解し、それに応じた返答を準備するというところまできてはじめて「言葉が理解できる」ということになるといえよう。それにはやはりまた、言語入力内部には存在しない情報を用いることが要求される。こうした処理は「コンピュータ・ＡＩ」には無理だろう」という議論はしばしば聞かれる。人間の中でも高次レベルの処理の性能については日常の観察の限りではかなり個人差が見受けられる部分もあるが、文法的には何の問題もないが「常識的にそういう状況は考えにくい」というような、いわば言語知識の外側にある情報を、人間誰しもがもつ機能としてどのようにリアルタイムで用いるかという問いについても長年議論が続いている。

心理言語学の目指すところ

ところで「コンピュータに言語を理解させる」ことを目標とする研究もめざましく進展している。コンピュータの情報処理検索能力や、記憶容量は人間のそれを大きく上回っていると考えると、言語理解においてコンピュータのほうが人間よりも優秀な部分があるかもしれない。が、人間の言語理解のしくみを知りたい、という心理言語学的な問いと、コンピュータに人間の言語が理解できるようにしたい、という工学的な問いは、扱う現象には共通点が多くとも、そのゴールは（似ているようで）全く異なる。

生身の人間にとっての早とちり・躓きなど、とにかくうまく扱えない現象は日常でも実感できることもあれば、無意識なレベルの現象も然るべき実験手法を用いることで多種多様に観察される。心理言語学者としては、そうした、本来の人間の認知的制約では処理がうまくいかないことこそが試金石。スムーズにいかないことをそれはそれとして正しく予測するようなモデルを得ることを目指している。例えば人間なら躓いて処理が大きく滞るような場合でも無理なく処理できる万能な言語処理モデルを作れたとして、それは工学的には素晴らしいことかもしれない（人間にできないことができる……例えば必要に応じて首を360度回転させることが可能なロボットみたいに）。しかしこれは心理言語学者が共有する目的とは異なる。むしろ「生身の人間が躓くのはどういう場合か」「処理不能となるのはどういうときか」という知見は、人間の言語理解のしくみがどのような（人間の認知能力ゆえの）制限を受けて、どのような計算方法でもって働いているのか、つきつめれば「（人間ができるようにできていることとできないようにできていることを含めて）人間を知りたい」という問いに迫ろうとする心理言語学的探求においては絶好の材料なのである。

「言語の理解を科学する」探求において、その答えは何億光年先の宇宙や何千メートルの深海でもなく、すべて私たち自身の内にあるのだ。

註

＊1 Hirose, Y. and R. Mazuka. (2015) 'Anticipatory processing of novel compounds: Evidence from Japanese.' *Cognition* 136. 350-358.

＊2 Dupoux, E., K. Kakehi, Y. Hirose, C. Pallier, and J. Mehler (1999) "Epenthetic Vowels in Japanese: a Perceptual Illusion?" *Journal of Experimental Psychology: Human Perception and Performance* Vol. 25, No. 6, 1568-1578.

プロフィール

広瀬友紀（ひろせ・ゆき）

一九六九年生まれ。一九九九年ニューヨーク市立大学にて言語学博士号を取得。東京大学大学院総合文化研究科言語情報科学専攻教授。日本語の文処理研究（成人）の他に近年では子どもを対象とした心理言語学実験にも関心が高い。著書に『ちいさい言語学者の冒険』（岩波書店）。

読書案内

▼川添愛『働きたくないイタチと言葉がわかるロボット 人工知能から考える「人と言葉」』朝日出版社、二〇一七年

▽イタチたちの楽しい試行錯誤を通して、どうやって機械に人間の言葉を解させるかという挑戦から、じゃあ人間はそれをどうやっているのかという洞察に導いてくれる。本章に興味を持ってくれた人には絶対読んで欲しい一冊。「で、なぜ『イタチ』?」の答えにもニヤリ。

▼広瀬友紀『ちいさい言語学者の冒険――子どもに学ぶことばの秘密』岩波書店、二〇一七年

▽本章では、心理言語学のなかでも主に、言語処理（人間は、習得済みの言語の知識をどのように使いこなしているか）という分野を紹介したが、その言語知識はではどのように習得したのかについて考える「言語習得」も心理言語学の重要な一部である。言語習得にも興味を持ったという方にぜひ。

▼S. Miyagawa & M. Saito (eds.) *The Oxford Handbook of Japanese Linguistics*. Oxford, UK: Oxford University Press. 2008

▽本章では、構文レベルの処理について具体的な研究例を紹介することができなかった。実は日本語は、構文処理の分野でたいへん重要な鍵を握る言語である。そうした研究の背景を知りたければこの本の Miyamoto, E. T. による "Processing sentences in Japanese" という章を読んでみて欲しい。

ダンテの『神曲』を、今読んでみる

村松真理子

ダンテとはだれか？

みなさんは、世界史の教科書でルネサンスのはじまりあたりにダンテの名前が出てきた記憶があるかもしれない。とにかく彼の作品は読み継がれ、引用されてきた。忘却の淵に沈むことなく継承されるのが「古典」なら、『神曲』はその一冊だ。

では、ダンテ・アリギエーリとは誰で、いつの時代の人か。歴史上実在したらしいこの人物、ギベッリーニ党（皇帝党）やらグエルフィ党（教皇党）やらが対立し、血で血を洗う抗争を繰り返した中世イタリアのフィレンツェに生まれた。時は十三世紀末から十四世紀初頭。知、信仰、愛、権力、憎悪、裏切り等々、人間の徳と悪とがドラマチックにあふれていた中部イタリアは、近隣の都市同士、はたまた同じ町の市民同士が権力闘争に躍起となり、時には殺戮に至った。それはまた、都市に人々が移り住むことで中世社会が大きく変わっていく過渡期で、教会や修道院の文化や制度に、新たな都市国家の世俗文化が拮抗していく時代でもあった。凄惨な政争の場に自ら身を置きつつ、「人間の善をも悪をも」追及した詩人が書いたのが長大な『神曲』だ。故郷で彼の名はほどなくこの作品に結びつけ

ダンテの肖像　14-15世紀

られ、大聖堂に残る十五世紀の肖像は、月桂冠をかぶって城壁外に立つ詩人が、本を手に自分の描いた世界を指し示す。有名な画家ジオットやボッティチェッリもその姿を残したが、『神曲』に名が記されているジオットの描いたダンテのかぎ鼻と鋭い目つきが後代のモデルとなったらしい。

ダンテは一二六五年に生まれ、フィレンツェのサンタ・クローチェ修道院やボローニャ大学で学んだのではないかと言われている。若い頃は故郷の恋愛詩人たちのグループに属し、市政にも積極的に参画したが、史料は限られ、書籍や直筆の手稿も残っていない。私たちとダンテを隔てる時の長さゆえだが、後半生に彼を襲った事件のせいでもある。教皇庁への使節として故郷を離れている間にクーデターが企てられ、一三〇二年、彼の属する派閥「白派」は、対立する「黒派」に敗れる。そして、政治家として失脚したばかりか、欠席裁判のまま汚職の罪で死刑判決を受ける。それはフィレンツェ領内に戻れば殺されることを意味し、実質的に財産没収と追放の憂き目を見たのだ。詩人は北イタリアを転々とし、有力者たちの庇護の下で『神曲』を書き上げる。一三二一年、外交使節でラヴェンナからヴェネツィアに向かう途上、マラリアで死んだ。

『神曲』はどのように書かれたのか?

では『神曲』は何について語るのか。一言で言えば、「あの世」の地図だ。主人公の「私」は詩人だが、生きたまま、古典古代の詩人ウェルギリウスと心の恋人ベアトリーチェに導かれて冥界をめぐる。長い旅の物語は一万四千行を越える詩で、定説によれば一三〇四年から一三二一年の間に成立した。

最初の九行に耳を傾けよう。識字率が非常に低かった時代だ。読む人々の多くはラテン語で読み書きした当時、ダンテは人々が話していたフィレンツェの言葉で書いた。人々は読み、あるいは朗読されるのを聞いて、理解し、リズムを記憶した。

『神曲』は「地獄」「煉獄」「天国」の三篇からなるが、全体の構成だけでなく、最初の九行からわかるように、細部も三を基にしている。まず三行のひとまとまりが「三行詩(テルツァ・リーマ)」と呼ばれる。行末の音(脚韻)が一行ずつ繰り返されては三回反復され、チェーンのように続く。たとえば第二行目末の形容詞 oscura(暗い)の -ura の音は、ひとつとんだ四行目の dura(辛い、厳しい)と六行目の paura(恐怖)で戻って来る。一行一行の音は十一音節からできていて「十一音節詩行(エンデカシッラボ)」と呼ばれる。三行ずつがひとまとまりをつくり、さらにその三行ずつが三連続いて当然合計3×3の九行。物語としても音としてもその九行が一単位になる。音節数を数えれば、一行が

我らの人生の道の半ば、
私は暗き森にいた。
まっすぐな道を見失って。

Nel Mezzo del cammin di nostra vita
mi ritrovai per una selva oscura,
che la diritta via era smarrita.

その森がどんなに綱領として峻厳で恐ろしかったか、
言うのもつらい。
想うだけでも恐怖が新たになるほどだ。

Ahi quanto a dir qual era è cosa dura
esta selva selvaggia e aspra e forte
che nel pensier rinova la paura!

その苦しさはほとんど死にも等しいが、
そこで見いだした良きことを語るため、
私はそこで見た他のことについても言おう。

Tant'è amara che poco è più morte;
ma per trattar del ben ch'i' vi trovai,
Dirò de l'altre cose ch'i' v'ho scorte.

3行詩　*terza rima*　11音節詩行　*endecasillabo*
100歌　1万4223行

地獄篇　第１歌　1-9行

十一音節、三行詩の三行は三十三音節。三つ集めれば九行、九十九音節。

改めて作品全体の構成に目をやろう。「地獄」「煉獄」「天国」の三つの世界は何編の詩で描かれているか。これもまた三十三ずつだ。では、『神曲』全体はいくつの詩でできているか。地獄篇のはじまりは森のなかで迷ってから彼岸に出発するまでの全体のイントロダクションと考えて、「地獄篇」は一プラス三十三、「煉獄篇」三十三、「天国篇」三十三。全部足せば1＋33×3＝100。一と三だけからなる数式できれいにできあがる「百」の詩で構成されている。

三は日本語でも御三家だの三つ巴だの、象徴的な意味をもたされる数だが、キリスト教世界では三位一体の三である。「父と子と聖霊」という三にして一なる神。『神曲』では唯一の神と救済に至る三つの道を示す。細部の音の数も、全体を構成する数も一と三を基にしているのだ。中世の数の神秘主義で、よく数をあわせたものだと感心するが、その無理のために内容がつまらなくなったかと思いきや、そうでないところがさすが古典だ。

描かれている空間に目をやれば、地獄は九圏に分かれ、地球の中心に向かってすぼむ漏斗のような形だ。巨大なアイスクリームコーンのギザギザした内側を降りて行くようにイメージしてもいいかもしれない。深く降りれば降りるほど、出会う死者の魂が生前犯した罪は重く、彼らの劫罰は悪魔的な鬼や怪獣たちが司る。最も深い地球の真ん中には三つの顔をもつ最も醜く邪悪な存在、悪魔大王ルチーフェロが氷漬けにされている。オーストラリアも南米大陸も知らない時代に考え出された煉獄は、南半球の大海にそびえる島。その山で死者の魂たちが赦しと祝福を目指し、生前の罪に応じた贖罪をひたすら積む。山のふもとの「煉獄前地」から頂上の「地上楽園」まで、ここも九つに仕切られた世界で、それぞれが天使に守られている。『神曲』の宇宙は天動説で、天国は地球にいちばん近い「月

3匹の獣　地獄篇　第1歌　　ウィリアム・ブレイク（1757-1827）

天」から神の座する「至高天」まで、九つの天が回転する天界である。

さらに、物語的な表現でも三がしばしば用いられる。たとえば、有名な三匹の獣たち。冒頭の暗い森に迷ったダンテが朝焼けの丘のふもとまで逃れてきてほっとしたのも束の間、彼の道をはばむ恐ろしい獣たちに遭遇する。それは、獅子と豹と狼。それぞれが人間の魂を破滅に導くような「傲慢」「放縦」「嫉み」などの罪を象徴しているらしい。この絵は、イギリスの詩人ウィリアム・ブレイクが描いた三匹の獣たちの登場する地獄篇第一歌の挿絵だ。

恐ろしい暗い森や、生きたまま道を通ることを人間にかつてゆるしたことのない獰猛な獣たちから逃れようとする「私」の前に、別の道を遠回りして救済に至るしかないと説いて道案内として現れるのが、古代ローマの詩人ウェルギリウスの魂である。その遠回りの旅こそが冥界めぐりであり、さらに二人現れる（全部で三人の）導き手のおかげで、「私」は作品の結末において、天上の至高の存在、神の光を見る。

一人称の主人公「私」は一度だけ、煉獄の旅の終わりぎわの地上楽園で、かつての恋人ベアトリーチェと再会し、呼びかけられる。「ダンテ！　どうしてお前は泣いているのか」と。彼女はダンテが目を向けられないほど輝き、天使たちに囲まれて現れ、いきなり主人公を叱責する。その箇所から作品中の旅人「私」が、（作者自身と同じ名の）ダンテとわかる仕掛けだ。一二六五年生まれの詩人ダンテ・アリギエーリ。テクストのなかで旅する主人公ダンテ。冥界の旅から帰還しそれについて語っている語り手の「私」ダンテ。テクストの内と外に合わせて三人のダンテがいる。

当初からいちばんリアリティをもって読者に訴えたのは「地獄」のようだ。ダンテがウェルギリウスとともにいよいよ阿鼻叫喚の世界に足を踏み入れる「地獄の門」には、黒い文字でこう記されている。ここも三回ずつの反復のレトリックが効果的に用いられる。

我を通り、苦悩の国にいたる。
我を通り、永遠の苦しみにいたる。
我を通り、失われし民のもとにいたる。
義が、我が創造主（つくりぬし）を動かし、
神聖なる力、至高なる知、
第一の愛、我を創りし。
我が前に、永遠ならざるものなく、
我、永遠に存する。

一切の望みを捨てよ、汝ら、ここに入る者たちよ。

（「地獄篇」第三歌一―九行）

「我を通り（伊語 Per me）」と同一の表現が行頭で三回繰り返され、強調される。さらに、「父と子と精霊」という三位一体の神を「力」「知」「愛」の言葉で言い換え、三連目で劇的に、永遠の絶望と時間が表現される。

そこから入っていく冥界でダンテが出会う魂たちは、ヨーロッパ中世人にとってはアダム以来の人類史を代表する。主人公は巡礼のように、救済を得るべくあの世をめぐり、死者たちと言葉を交わす。冥界で遭遇する不思議な光景や冒険の描写が、対話のなかで死者たちによって明かされる事績や事件と交錯しながら、世界のはじめから終わり（つまり物語の現在）までが語られるという壮大なプランだ。三十五歳で人生の半ばに立つ主人公が、一三〇〇年の聖金曜日からの短い時間で、地獄と煉獄を通り抜け、復活祭の日曜日の真昼に天国に到達する。永遠の時間と広大な宇宙空間を、限られた点のような巡礼の「現在」が訪れ、凝縮し、象徴する。

『神曲』で語る人々

ダンテは道中、師ウェルギリウスに時間がないから立ち止まるな、急げ、と叱られ続けるが、足を止めては死者たちから生前の人生を聞く。一つひとつのエピソードは簡潔ながら、中世人がどのように古代や聖書、同時代の事件を解釈し、歴史として、人物伝として語りえたかを表わす。

まず「私」と地獄に入ろう。門で宣告されたとおり、そこにあるのは許されざる罪にふさわしい永遠の呵責。登場人物たちが後世の絵画作品に描かれたり、他の文学作品に引用されたり、翻案の演劇作品や映画が作られたりするのは、「人気」の証左だろう。そのなかから二組に限って紹介しよう。まずは地獄の入り口からすぐに出会う死者たち。「理性」によって欲望を律することができずに「肉欲」の罪を犯した彼らは、未来永劫、地獄の風に吹かれ続ける。

まるで羽をひろげてムクドリたちが
寒い季節に、広く密に隊列を組み、我らの地に渡り来るように、
その一陣の風が悪しき魂らを
こちらからあちらへ、上から下へと吹き飛ばしていた。
しばしの休息と罰の軽減を望んでも、
彼らには一切許されることがない。
すると、まるで鶴が哀歌を歌いつつ、
天空に群れなし長い条を描くごとく、
魂たちが呻き声をあげながら、その強風に
吹き飛ばされて近づくのが見えた。

（「地獄篇」第五歌四〇―四九行）

そこでダンテの眼を惹きつけたのは、風に吹きつけられ宙を漂っても離れることのない有名な恋人たちの魂だった。その名は、パオロとフランチェスカ。ダンテの生きた時代に、広く知られていたらしい。もっぱら女性のフランチェスカがダンテの問いに答えて、それゆえに兄であり夫であるジャン

チョットから殺されることになる許されぬ恋に、義理の姉弟であった二人がいかに落ちたかを物語る。「幸福な過ぎし方を、悲惨のうちに思い出すほど苦しきはなし」と前置きしたうえで。

我らはある日、愉しみのためにいっしょに読んでいた、
ランスロットを愛神がどのように虜にしたのかを。
我らは二人きり、何に臆することもなかった。
読み進むうち、我らの眼は幾たびも見つめ合い、
顔は色を失っていった。
しかし打ち負かされたのは、その一瞬にいたったとき。
焦がれていた微笑みに、
恋する者が口づけしたと読んだそのとき、
私から永遠に離れることのないこの者が、
震えながら、我が唇に接吻したのだ。
ガレオットは、その書物とそれを書きし者。
その日我らがそれ以上先を読むことはなかった。

（「地獄篇」第五歌一二七―一三八行）

中世ヨーロッパで語り継がれた「円卓の騎士」の騎士ランスロットとグィネヴィア王妃の道ならぬ恋の物語を読み進むうち、自分たちは恋に落ちたとフランチェスカは言う。愛人たちの逢引きをとりもつ廷臣「ガレオット」（イタリア語名）のように、二人を罪深い愛に誘ったのは物語、つまり、本を

読む行為だったと。それで、「私は憐れみのあまり、まるで死んでしまうかのように」失神する。そして、「死んだ身体のごとく、どさりと倒れた」。地獄の恋人たちは、社会的規範も宗教的な戒めも破ったが、死後もともに鳥のように飛びつづける。恋愛は官能や肉欲に翻弄された「罪」として断罪されるが、二人の結びつきは永遠の絆だ。恋人たちは一方で涙を流し続ける罪人であり、もう一方で「私」の深い共感をかきたてる存在である。同情のあまり、詩人は失神し、死んだように倒れるのだから。

フランチェスカに重なるのは、ベアトリーチェへの想いから新しい表現を生み出した若き恋愛詩人ダンテ自身なのだろう。当時の詩に歌われる「恋愛」とは、中世における結婚という社会的政治的制度を越える何かを表わすものだった。現実の限界や矛盾に直面し、それを越えたいと欲するときに、一人ひとりの精神と身体に湧いてくる切実な欲望の象徴なのだろう。十字軍に旅立った兵士が遥か遠くから恋い焦がれる貴婦人の面影。この世ではけっして結ばれることのない主君の妻への愛。隣り合わせに葬られた恋人たちの二つの墓から伸びるつる草が絡み合うごとく、魂は死後やっとひとつに結ばれる……。ヨーロッパ文学の「恋愛」の原型が生まれ、中世フランス宮廷やシチリア宮廷を経て、十三世紀末のフィレンツェでも新たな詩が生まれたのだ。

もう一人、詩人ダンテの分身と言われる登場人物を紹介しよう。地獄の底近い第八番目の谷で永遠の炎に焼かれるウリッセ。「ウリッセ」とは「オデュッセウス」のイタリア語名だ。オデュッセウスは古代ギリシアの詩人ホメロスの『イーリアス』と『オデュッセイア』の英雄で、トロイアでの十年にわたる戦争をギリシア方の勝利に導き、さらに十年間、幾多の困難と冒険を乗り越え貞節な妻ペネロペの待つ故郷イタケーの島に帰還する。しかし、『神曲』のウリッセが登場するのは地獄だ。断崖絶壁を師ウェルギリウスについて降りていくダンテの前に広がる闇の向こうに、夏の夕暮れのトスカーナの丘を飛ぶホタルの光さながら、火に焼かれる魂が群れをなして飛んでいる。それは生前、権謀術数で他者を欺いた者たちの炎だ。仲間の知将ディオメデスとともに、長い戦の終幕トロイアの城門前に、選りすぐりの勇者たちを腹のなかに潜ませた巨大な木馬を置き、ついにその門を開かせて一挙に攻め込む奸計をめぐらせ実行したウリッセ。その英雄たちが、頂きが二つに分かれた角のような炎のなかで、二人いっしょに焼かれている。吹きすさぶ風に飛ぶフランチェスカがパオロの魂と離れないように、二人の英雄は死んでもひとつの炎に包まれている。揺れる炎のなかからの声が話すのは、トロイア戦争でも、『オデュッセイア』の帰還の旅でもない、もうひとつの旅だ。

我が子の可愛いさも、老父への慈しみも、
ペネロペを幸せにするべき愛の務めも、
私のなかに燃える熱情には克てなかった。
人間の罪も徳も、
世界を知り尽くす者に
なりたいという熱情に。
そこで私は、深き大海に船出した。
ただ一隻の船と、私を決して見捨てることなき、
選りすぐりの仲間らとともに。

(「地獄篇」第二十六歌九四―一〇三行)

もう若くはないウリッセが、故郷も家族も愛も捨て、善も悪も世界のすべてを知りつくしたいという情熱にかり立てられて新たに旅立つ。そして地中海を西進し、「我らが海」の果て、大洋への出口であるジブラルタル海峡に着くと、仲間に呼びかける。

「おお兄弟たちよ」と、私は言った。
「幾千の危険をのり越え、西の果てまで来た君たちが、
我らの覚めた感覚も
残り僅かの今となって、
太陽の向こう、人の住まぬ世界に
向かう体験を、望まぬことなかれ。
君たちの起源を考えよ。
君たちは、獣のように生きるためにではなく、
徳と知性を追い求めるべく、造られたのだから」
私は、仲間たちをこの小さな演説で
先に進もうと大いに奮い立たせたので、
はやる彼らをやっとのことで抑えられるほどだった。

（「地獄篇」第二十六歌一一二―一二三行）

人間と獣はちがう。知性を求め、全知全能の神に憧れ、神に近づこうと欲する。それゆえに人間は人間たるのだ。ホメロスのオデュッセウスがかつて船員たちを勇気づけたように、ウリッセも仲間た

ちに演説するが、目ざすのは故郷への帰還でも、新たな王国への到着でもない。知識の完成、知性の追求だ。

しかし、幸福な結末はない。大海に漕ぎだし、赤道を越え、南下し続けたその旅の顛末をウリッセは語る。南半球の煉獄の山影がついに見える。

我らは喜び、すぐに悲嘆にくれた。
新しき陸から、竜巻が生じ、
船の前側に打ちつけたから。
三度、すっかり周りの水で船を取り巻き、
四度目に船尾を高く持ち上げ、
船首からまっ逆さまに沈みこませた、
人ならぬ方の望みどおりに。

（「地獄篇」第二十六歌一三六―一四一行）

どうして私たちは「古典」を読むのか？

ウリッセの難波は何を意味するのだろう？　人間的な知性の望みを象徴していたはずの旅の、悲劇的な結末だ。ウリッセもダンテもウェルギリウスも、それについて説明も後付けもしない。

ここで二十世紀のある読者が極限的状況でこのテクストを思い出した経験について読んでみよう。二十世紀の北イタリア、トリノで生まれ育った作家プリーモ・レーヴィだ。一九四三年秋、彼はすでに化学者として歩みはじめていたが、イタリアは、ローマで失脚して同盟国ドイツの軍事力に支えられたムッソリーニの「サロ共和国」と、それに対する軍事的抵抗運動を展開するレジスタンスとの内戦状態に入る。レーヴィはレジスタンスのパルチザン兵士となって戦闘に参加するが、ほどなくドイツ軍の捕虜となり、ユダヤ人であったためにアウシュヴィッツに送られる。そして生還後、一九四五年春の解放までの強制収容所での体験と、故郷までの帰還の旅をめぐる一連の作品を発表する。現実の経験に忠実に書いたと作者は述べるが、単なる「記録」を越える「文学」として世界で読み続けられている。

代表作『これが人間ならば』のなかの一章が「ウリッセの歌」と題されている。「私」プリーモは、「化学作業班」の一員だが、アルザス地方のドイツ語圏フランス出身で化学専攻の元大学生ジャンと二人、その朝は昼食のスープを厨房まで取りに行くという軽い任務にめぐまれる。広大な収容所の敷地内を空のスープ用容器をかついで歩くうち、かつての日常で二人が共有していたイタリアの海辺での休暇の思い出や学生としての暮らしの記憶などが蘇る。ふと二人は、ジャンがまだ習得していないイタリア語を勉強しようと思いつく。特殊な空間のなかでのそのときだけの、イタリア語授業だ。プリーモ自身もなぜだかわからないが、「教材」はダンテの「ウリッセの歌」。もちろん、本はない。記憶だけが頼りだ。プリーモが『神曲』とは何か、ダンテはだれか、ウェルギリウスやベアトリーチェが象徴するものは何かについて語り、脚韻をたよりに「ウリッセの歌」の詩行を手繰り寄せ、暗唱し、ジャンと協力してにドイツ語とフランス語に訳していく。太陽は高くなり、目的地の厨房に近づくが、まだ地獄篇第二十六歌の結末には届かない。うまく訳せない行がある。思い出せない箇所もある。仕方がない、脚韻も韻律も無視して、平たく散文に言い換えて進むしかない。ダンテに心中あやまりながら。だが、ジャンにもプリーモにもわかっている。今、二人にとって、その言葉を思い出すことが、語ることが、聞くことが、不可欠だと。プリーモは思う。さいごまで思い出せるのなら、その日のスープをあきらめてもいい、と。そしてダンテの詩行が、まるではじめて聞いたように、プリーモ自身の心にも蘇る。すると、自分たちの宿命が、どうしてその場所にいるのかが、巨大な何かが、一瞬理解される。

スープの列に並ぶ二人の周りでは、ドイツ軍が占領したヨーロッパ各地出身のユダヤ人たちが、フランス語、ドイツ語、ハンガリー語など、各々の言葉で、今日のスープの実が何かを伝え合っている。それは、「キャベツとかぶ」。

レーヴィの「古典」の記憶の物語を、みなさんはどう読み取るだろうか？ ウリッセは家族への愛も社会的なつながりもかえりみず、自らの幸福も犠牲にして、知の探求に乗り出した。自分の知性と仲間たちを頼りに。純粋で独立した知の探求は、近代的人間の宣言のように響く。だが同時に、自然や神や、人間を越えるものへの畏怖を忘れた行為として、断罪されなければならなかったのだろうか？ 中世において大きな問題だった知性と信仰の問題だが、『神曲』のウリッセはその意味について、ダンテにも、読者にも語らない。

「地獄篇」第二十六歌は、ウリッセの語る次の言葉で閉じる。遭難の意味についても、地獄にいるのは木馬の奸計のためだけではなくその旅の故なのかも、一切語られない。レーヴィも同様に「ウリッセの歌」の章を閉じる。

ついには海が、我らの上に再び閉じた。

（同一四二行）

この行から私たちも考えはじめよう。レーヴィがダンテを思い出し、その経験を書き記しながら、私たちに伝えようとしたものは何だったのか、ウリッセの旅は何を私たちに象徴しうるのかを。私たちは、ダンテやレーヴィとはちがって、安全で平和で豊かな暮らしが保証されていると通常思って生活している。しかしその日常から「外」に一歩踏み出すと、私たちの前に世界はさまざまなレヴェルの暴力と対立と病に満ちた姿を現す。その私たちの「今」において、「人間」の良きも悪しきも見すえて世界の隅々を知りたいと望み、歩みを止め、語り合おうとするための言葉をさがす真摯な試みはなされているだろうか。

近代科学は技術発展を生み出し、多くの人々に貧困や飢餓や病からの解放と豊かさをもたらしたはずだ。同時に、その進歩の果ての効率性とともに、レーヴィの体験した殺戮の制度や新たな戦争の形が生み出されてしまった。ダンテの中世は人々の移動についての大変革期だったが、人間の交通が格段に変化し続ける「グローバリゼーション」を私たち自身が体験している二十一世紀、新しい病や、豊かさの副産物である格差や貧困が世界を脅かしている。知識と合理性と進歩を求めたはずの人間の営みが行き着く先はどこなのだろう。

『神曲』のテクストが読み継がれてきたのは、時代の変遷を越えてつねに新たに語りかけてくる物語だったからだろう。その「古典」をひもとく私たちは、ウリッセなのかもしれない。またはフランチェスカか。

「文学」にひとつの正しい答えはない。ただし、暗闇で迷っても、難破しても、立ち止まり、語り合うことはできる。

プロフィール

村松真理子（むらまつ・まりこ）

一九六三年生まれ。Ph.D（東京大学、ボローニャ大学）。東京大学大学院総合文化研究科地域文化研究専攻教授。専門はイタリア文学。主な著書に*Il buon suddito del Mikado. D'Annunzio japonisant* (Milano, Archinto Editore, 1996)、『謎と暗号で読み解く ダンテ「神曲」』（KADOKAWA、二〇一三年）、主な訳書にA・タブッキ『イタリア広場』（白水社、二〇〇九年）など。

読書案内

▼ダンテ『神曲』（全三巻）平川祐弘訳、河出文庫、二〇〇八―〇九年

▽日本語訳はいくつもあるが、読みやすさと格調と正確さのバランスから、平川訳がまずおすすめ。できたら書店や図書館で、自分の好きな響きの日本語訳『神曲』を選んで、ぜひ実際に読んでほしい。

▼プリーモ・レーヴィ『アウシュヴィッツは終わらない――これが人間か』竹山博英訳、朝日選書、二〇一七年

▽レーヴィの代表作の日本語訳。どのようにアウシュヴィッツに送られ、そこでどのような人々と出会ったか。特殊で過酷な状況から生まれた普遍的な人間についての考察の言葉は、二十一世紀の若い人にも向けられている。

▼村松真理子、横山安由美ほか『世界文学の古典を読む』放送大学教育振興会、二〇二〇年

▽ギリシア・ラテン文学、西洋中世文学から中国文学まで、「世界文学」の「古典」から選ばれた十四のテクストへの誘いと解説。ここからぜひ「古典」の広がりと魅力を感じてほしい。

あとがき

本書は、東京大学教養学部主催・生産技術研究所共催の「高校生と大学生のための金曜特別講座」において、主に二〇一七―二〇一九年度にご登壇いただいた先生方に、講義内容を寄稿していただいたものである。この講座は二〇〇二年の開始以来、すでに四百回以上開講しており、毎回、東京大学の教員が高校生や大学生に向けて、また社会人へのリカレント教育として、自らの専門分野の面白さをわかりやすく伝え、将来に向けた展望を描き、六十分間の熱い講義を行っている。さらになぜ自分はこの道を選んだのか、自分はどんな高校生・大学生だったのかについても話す。インターネットを介したテレビ会議システムにより、この講座の様子を全国の五十以上の高校にリアルタイムで配信しているため、講義後三十分間の質疑応答では、来場者のみでなく、全国の高校生たちからも鋭い質問がたくさん届く。大学や大学院で日頃どのような学問や研究が行われているのかをかいまみることは、高校生や大学生が将来を思い描くうえで大いに参考となるだろう。特に、進路選択に思い悩む若者たちは、ぜひ金曜講座に参加してほしい。

高校生たちは多くの場合、自分の専門分野を大学受験までに決めなければならない。しかし、高校までの基礎教育と、大学からの専門教育のあいだに本来存在するべき「進路選択のための教育」は、十分といえるだろうか。若者が自分に合った専門分野を見つけ出すためには、「進路選択のための教育」をさらに充実させる必要があるだろう。

東京大学には独自の進学選択システムがある。新入生たちは全員、駒場キャンパスにある教養学部で最初の二年間を過ごし、文系から理系までの幅広い学問に触れてじっくりと自分の進路を見極めた後、大学三年から各学部・学科に進学して、専門教育を受けることになる。文系科類で入学した学生が理系学科に進学することや、その逆も珍しくはない。これは大学入学時点での進路選択の難しさを物語っているだろう。

一、二年生向けの授業をしていると、教員は学生たちから、進路についての相談を受けることも多い。将来への希望に満ちた、澄んだ瞳の学生たちが、自らの選択に自信をもって専門教育を受けられるように、教員は自分の専門分野の魅力や、自分がどのようにして進路を選んだのかを親身に語る。そのような教員たちだからこそ、進路選択に悩む高校生たちにも伝えたいことがある。若者たちが自分の夢や生きがいを見つけるための手助けをしたいと、心から思う。

今後も金曜講座では、高校生と大学生の進路選択の参考となるような講義を続けていく。スケジュール等は講座のウェブサイトでご確認いただきたい。全国の高校へのインターネット配信も随時受け付けている。このような遠隔教育は、仮想空間と現実空間が高度に融合したSociety 5.0の時代において、ますます重要となるだろう。

金曜講座の運営は、ご登壇いただいた先生方をはじめ、教養学部社会連携委員会、鳥井寿夫准教授、細野正人特任助教、林勇樹助教、受田宏之教授、永井久美子准教授、ティーチング・アシスタントの学生たち、そのほか大勢の事務職員の皆様の献身的なご協力によって実現しました。また、ニッセイ・ウェルス生命保険株式会社、日本マイクロソフト株式会社、一般社団法人東大駒場友の会にもご協力いただきました。厚く御礼を申し上げます。最後に、金曜講座に毎回お越しになり、本書の刊行にご尽力いただいた白水社の西川恭兵氏、栗本麻央氏、竹園公一朗氏、小林圭司氏には大変お世話になりました。深く感謝申し上げます。

二〇二〇年三月　新井宗仁

ネット配信は随時受け付けておりますので、ご希望の高校や教育委員会があれば、金曜特別講座事務局までメールにてご連絡ください。講座プログラムは以下ＵＲＬでご覧いただけます。

high-school@komex.c.u-tokyo.ac.jp（金曜特別講座事務局）

http://high-school.c.u-tokyo.ac.jp

知のフィールドガイド
異なる声に耳を澄ませる

二〇二〇年 四 月一五日 印刷
二〇二〇年 五 月一〇日 発行

編　者 ©東京大学教養学部
発行者 及　川　直　志
装幀・本文レイアウト 北　田　雄　一　郎
組　版 島津デザイン事務所
印刷・製本 図書印刷株式会社
発行所 株式会社　白　水　社
東京都千代田区神田小川町三の二四
電話 営業部 〇三(三二九一)七八一一
編集部 〇三(三二九一)七八二一
振替 〇〇一九〇−五−三三二二八
郵便番号 一〇一−〇〇五二
www.hakusuisha.co.jp
乱丁・落丁本は、送料小社負担にてお取り替えいたします。

ISBN978-4-560-09756-4

Printed in Japan

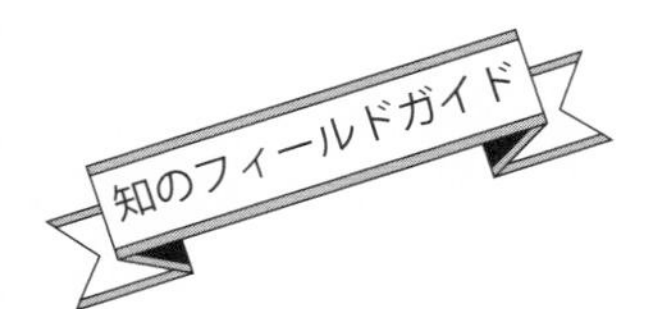

東京大学教養学部　編

東京大学教養学部の人気公開講座を書籍化。
最先端の講義から、いま必要な知の領域を考える
シリーズ。

科学の最前線を歩く

ニュートリノの小さい質量の発見（梶田隆章）／時間とは何だろう—ゾウの時間ネズミの時間（本川達雄）／死後の生物学（松田良一）／歴史の謎をDNAで解きほぐす（石浦章一）／宇宙で電気をつくる（佐々木進）／飛行機はどうして飛べるのか（鈴木真二）／美肌の力学（吉川暢宏）ほか。カラー図版多数。

◆◆◆◆◆◆◆

生命の根源を見つめる

天体現象の数値シミュレーション（鈴木建）／タイムマシンは可能か？：原子時計とウラシマ効果（鳥井寿夫）／光と分子——分子の形を知る方法、分子の動きを知る方法（長谷川宗良）／放射線をとことん測ってみる——測定の現場から（小豆川勝見）／脱力から知る熟練者の身体（工藤和俊）／からだのつくり方とその利用法（道上達男）／タンパク質をデザインして産業や医療に応用する（新井宗仁）ほか。